Steiermark
Styria
La Styrie

STEIERMARK

Text
von Johannes Koren

Fotos
von Kurt Roth, A. M. Begsteiger
u. a.

Zeichnungen
von Albert Ecker

Gestaltet
von Jochen Pabst

Pinguin-Verlag, Innsbruck

Vorderes Umschlagbild:
In den Wölzer Tauern
Foto: A. M. Begsteiger

Übersetzung ins Englische: Jacqueline Schweighofer
Übersetzung ins Französische: Fred Geets und Brigitte Kellermayr-Monghal

Die Aufnahmen von Kurt Roth wurden großteils
mit der Kamera Pentax 6 × 7 gemacht

Druck- und Bindearbeiten: Verlagsanstalt Tyrolia, Innsbruck
Farbreproduktionen:
Ifolith, Fotolitho, Innsbruck
Printed in Austria
ISBN 3-7016-2169-1

Inhalt

Steiermark

Es ist längst zum Schlagwort geworden, die Steiermark als Land der Vielfalt zu bezeichnen. Damit meint man, daß in ihr, wie in keinem anderen Bundesland, alle Möglichkeiten landschaftlicher Formen ausgeschöpft werden, die in Mitteleuropa zu Gebote stehen. Diese Vielfalt begegnet dem Aufnahmebereiten in der Gletscherwelt des Dachsteins ebenso wie auf der Fahrt durch das Ennstal zu Füßen des jäh aufragenden Grimming, wenn Morgennebelfetzen zwischen düster hingeduckten Heuhütten über den Talboden gleiten, oder überall dort, wo der Nadelwald wie ein grüner Dom zur Andacht ruft. Er fühlt sie in der Seenlandschaft des Salzkammergutes ebenso wie bei der Betrachtung der freundlichen Höhenzüge, die Graz umgeben und in denen die Alpen ausklingen, auf einer leuchtenden Sommerwiese im Hügelland der Oststeiermark oder in den Obst- und Weingärten der West- und Südsteiermark, wenn die reife Frucht gemeinsam mit den herbstlich verwandelten Laubwäldern unter einem wie von Gold durchwirkten blauen Himmel ihre Farbenpracht entfaltet. Unerklärbar und verzaubernd, nicht ins Wort zu zwingen. Das Studium der Landschaft bringt einen der Wahrheit über die Menschen in diesem Land näher. Es muß nämlich als gegeben hingenommen werden, daß es »für das geschlossene Land mit klaren Grenzen und festen Punkten der Ordnung des menschlichen Zusammenlebens im Inneren durch die Natur selbst keine Voraussetzungen gibt. Es war keine Einladung da, aus den anscheinend auseinanderstrebenden Landschaften ein einheitliches Gebilde zu schaffen, das den Charakter eines Landes gewinnen könnte. So bleibt nur der Schluß: Daß die Landwerdung der Steiermark zwar nicht als spontanes Werk, wohl aber als allmählicher Prozeß und als Folge bewußter Entscheidungen eine menschliche Schöpfung ist. Menschlicher Geist und menschliches Tun haben in der Mitte der sich zur Einheit fügenden Teillandschaften einen Kern gesehen und gefunden. Was von außen her – von den ›Mächten der Geschichte‹, denen sich kein Land und kein Volk entziehen kann – ›gedrängt‹ wurde, hat von Innen her langsam und allmählich ein Eigenleben und eine Eigengesetzlichkeit gewonnen. Was alles dazu beigetragen hat, ist längst nicht mehr zu belegen. Aber was und wie es immer geschah: Menschen haben dieses Land ›entdeckt‹, ihm seine Gestalt und einen Sinn gegeben, oder in ihm einen Sinn gefunden.«*

Von der Siedlung der ersten Menschen im Gebiet des heutigen Steirerlandes an bis in unsere Tage hat die Steiermark immer wieder wichtige Aufgaben zu erfüllen gehabt, ob nun als Bollwerk gegen die wiederholt anstürmenden Ungarn, Türken und Franzosen, als zeitweilige kaiserliche Residenz, als wichtiger Raum der beginnenden Industrialisierung in Mitteleuropa unter Erzherzog Johann oder schließlich als kultureller Angelpunkt, der in unseren Tagen etwa durch den »Steirischen Herbst« oder durch den Ruf seiner Dichter und Hohen Schulen das Land wiederum ins gesamteuropäische Interesse rückt.

Der Menschenschlag, der die Steiermark bewohnt, und der auch in unseren Tagen viel von der Last der von außen und innen herandrängenden Schwierigkeiten im Staate Österreich zu tragen hat, wurde durch eine wechselvolle Geschichte geformt. Die überragende Rolle bestand meist im Tragen und Kämpfen für andere, um selber zu überleben und nur ganz selten im Genießen glanzvoller Höhepunkte. Die Härte des Schicksals und eine Landschaft, die bei all ihrer Schönheit keinem etwas schenkt, ließ ihn zu dem werden, was ihn heute noch auszeichnet: Zu einem Menschenschlag, den Selbstbewußtsein und Freiheitsdrang ehren und in dessen Wesen sich die Ahnung von Weite, die der steirischen Landschaft innewohnt, zu offener, freundlicher Lebensart und echter Liberalität verdichtet.

Es sind zahlreiche Völker gewesen, die den Raum der heutigen Steiermark länger oder kürzer besiedelt haben, und andererseits war er meist zu Verteidigungszwecken ausersehener Bestandteil anderer Staaten. Illyrer, Veneter, Kelten, Römer und Slawen siedelten hier nach- und nebeneinander und hinterließen Spuren ihrer Kultur und der Begabungen ihrer Völkerstämme. In das Königreich Noricum und in die römische Provinz gleichen Namens, in einen Teil Pannoniens und später in das Herzogtum Karantanien war das zukünftige Steierland einbezogen. Es war immer Grenzland. Für die Noriker gegen Pannonien hin, für die Karantaner Grenzzone im Osten und als 970 erstmals sogenannte marcha carentana, die der nördlichen Mark ostarrichi Flankenschutz gegen Süden geben sollte. Schon damals begann der Satz »ohne Steiermark kein Österreich«, der auch heute noch mit Stolz in Anspruch genommen wird, seinen Sinngehalt zu gewinnen. Das Amt, das die marcha carentana für Österreich übernehmen sollte, ist im Lauf der Geschichte für das spätere stireland, die Markgrafschaft und schließlich das Herzogtum Steiermark nicht leichter geworden.

Aber zurück zur Zeit der Wende des ersten Jahrtausends nach Christi Geburt. Zunächst regierten in der Steiermark die Eppensteiner, bis die Herrschaft 1055 den Traungauern übertragen wurde. Diesem Grafengeschlecht war es gegönnt, genau 125 Jahre nach der Machtübernahme für ihre Mark an der Mur und die inzwischen dazugekommenen Marken und Grafschaften die Würde eines selbständigen Herzogtums zu erlangen.

Friedrich Barbarossa, besorgt um das Gleichgewicht der Macht im Reiche, kam zur Auffassung, daß der Bayernherzog mit der Machtfülle, die ihm der Kaiser zugestand, zu »großzügig« umging und entzog ihm unter anderem die Lehenshoheit über die Steiermark. Er erhob seinen weitschichtigen Neffen, den Traungauer Ottokar IV., im Jahr 1180 zum Herzog und stellte ihn damit auf eine Stufe mit dem Bayern. Ottokar war aber ein kranker Mann, dem weder Nachkommen noch ein langes Leben beschieden waren. Als er im Jahre 1192 an Aussatz starb, erlosch auch sein Geschlecht, und seinem Willen gemäß übernahmen die Babenberger die Herrschaft über die Steiermark. Schon 1186 waren in der Georgenberger Handfeste den steirischen Ministerialen die gleichen Rechte zugesprochen worden, die diese von den Otakaren erhalten hatten. Herzog Leopold von Österreich, dem Ottokar sein Herzogtum zuwenden wollte, sicherte diese Rechte auch für die Zeit seiner Nachfahren zu und legte auf dem Georgenberg fest, daß sich die Steirer an den Kaiser wenden und ihr Recht vor einem Fürstengericht suchen dürften, sollte ein Landesherr tyrannisch regieren. Die Rechte oder »Freiheiten«, die der steirische Adel hier erhielt, sind als Rechte des Landes selbst anzusehen und bezeugen die staatsrechtliche Bedeutung der Georgenberger Urkunde.

Auf der Basis dieser Handfeste wurde die Zeit der Babenberger zur großen Epoche der steirischen Ministerialen. Sie wurden zu den Trägern des Landesbewußtseins, und das sollte sich in der Zeit des Interregnums entscheidend auswirken. Nach dem Tod des letzten Babenbergers, Friedrich des Streitbaren, im Jahre 1246 wurde die Steiermark zum Streitobjekt zwischen Böhmen und Ungarn. Als sie zunächst durch den Frieden von Ofen, der durch Vermittlung des Papstes zustande gekommen war, den Ungarn zugesprochen wurde, konnten die steirischen Adeligen durch einen Aufstand deren Herrschaft abschütteln. 1260 fiel das Land schließlich durch den Frieden von Wien an Přemysl Ottokar, der den Ungarnkönig Bela IV. bezwungen hatte und der Steiermark nach und nach Sicherheit und Ruhe zurückbrachte. Die dem Böhmen gegenüber zunächst gezeigte Liebe erkaltete aber schnell, als er den steirischen Adel immer stärker unter Druck setzte. Die Steirer erhoben sich gegen ihn und schlossen sich Rudolf von Habsburg an, der 1273 zum König gewählt worden war und der viele Jahre später, nämlich genau am 18. Februar 1277, den steirischen Ministerialen die von früheren Herrschern gewährten Rechte bestätigte und zusätzlich zusicherte, das Herzogtum Steiermark nur demjenigen Fürsten zu verleihen, dem die Mehrheit der Ministerialen ihr Vertrauen aussprach.

Ansehen und Last der Steiermark wurde in dem Maß, in dem das Haus Österreich die Verantwortung für das ganze Reich zu tragen hatte, größer. Im Dienst an Österreich hat sich das Land bewährt und gefestigt. »Seine Hauptstadt wurde immer mehr zu einem Sammelpunkt geistiger, kultureller, wirtschaftlicher und politischer Kräfte. Es war eine klare Folge der Geschehnisse, daß die Steiermark zum Vorland aller innerösterreichischen Länder von den Alpen bis zur Adria wurde, als dieses Innerösterreich im Jahre 1564 als eigener Staat institutionalisiert und Graz als Residenz des Landesfürsten die Hauptstadt auch Innerösterreichs wurde. Sie war die Hauptfestung gegen die Türken im großen Festungsgürtel nach Südosten, den der Landesherr als Inhaber des ewigen und immerwährenden Generalates der windischen und kroatischen Grenzen zu verwalten hatte. Und Graz war die Hauptstadt, in der die Schwere des Glaubenskampfes mit größerem Ernst von beiden Seiten ausgetragen wurde als anderswo, war die Stadt der Gelehrten, die an der vom Erzherzog Carl II. gegründeten Jesuiten-Universität und in der von den steirischen Ständen unterhaltenen evangelischen Stiftsschule tätig gewesen sind. Johannes Kepler unterhielt als protestantischer Professor gleichwohl kollegiale Beziehungen zur katholischen Universität. Damals hatte die Hauptstadt und das Land ihre bewegte, ihre leidvolle und doch ihre große Zeit. Damals hat das Land seine Dimensionen erkannt, und was von hier aus für das friedliche Zusammenleben und Wirken des Deutschen mit dem Windischen und dem Welschen versucht und unternommen wurde, spiegelt sich bis heute im äußeren Antlitz der Stadt.«*

Und nicht nur im äußeren Erscheinungsbild. Gerade in unseren Tagen ist es durch TRIGON als integrierendem und auslösendem Faktor des Steirischen Herbstes wiederum so, daß die geistig und künstlerisch tragenden Kräfte der Länder Italien, Jugoslawien und Österreich in Graz den Platz der Begegnung gefunden haben, an dem deutlich wird, wie sehr das geistige Spannungsfeld Innerösterreichs bis heute tragfähig geblieben ist.

Spät nachdem 1619 der »Steirische Kaiser Ferdinand« mit seiner Residenz nach Wien gezogen war, verlor Graz 1749 auch den Vorrang als Hauptstadt Innerösterreichs. Sein Glanz begann zu verblassen, und es kam wieder einmal eine schwere Zeit über das Land, dem im Laufe der Jahrhunderte kein Unheil — von der Ungarn- und Türkengefahr über die Pest und die Heuschrecken, die durchziehenden Franzosen — und wirtschaftliches Elend erspart geblieben war. Das Land war wieder in den Winkel der Geschichte abgeschoben und befand sich in einem beklagenswerten Zustand, als wie durch ein Wunder, zumindest aber durch eine Fügung zur rechten Zeit, Erzherzog Johann von Österreich, dem sein kaiserlicher Bruder das geliebte Tirol als Aufenthalt verboten hatte, in die materiell und geistig darniederliegende Steiermark kam, um als »Steirischer Prinz« zum großen Notwender des Landes zu werden.

An dieser Stelle mehr als eine Zwischenbemerkung über die Mitwirkung der Kirche an der Entstehung des Landes. Schon lange bevor es eine Steiermark oder gar ein Herzogtum gab, haben die verschiedenen Orden einen geistigen Grundkataster über das Land gelegt, der die materielle Landwerdung entscheidend mitprägte. Sie waren es, die Kirchen als neue Zentren des geistlichen Lebens erbauten, die anfingen, bedeutende Bibliotheken einzurichten, Pioniere des Schulwesens zu sein, aber auch ihre Seelsorger hinauszuschicken bis in den letzten Winkel der Einsamkeit und in die weitgestreuten Siedlungen des Landes, um das Evangelium zu verkünden.

Was aus den Klöstern ins Land hinaus gewirkt hat und sich dort mit der Gesinnung und Gesittung der Herren auf ihren Burgen und in den Schlössern und der Arbeit der Untertanen vereinte, ist nicht zu messen. Aber alles zusammen hat sicher seinen Teil dazu beigetragen, daß Erzherzog Johann, als er hierher kam, auf Menschen stieß, die bereit waren, ihn mit seinen Ideen aufzunehmen und offen für alles Neue die Substanz des Landes und seiner Bewohner nutzend daranzugehen, sein Utopia zu errichten und mit ihnen gemeinsam das Land aus Armut und Rückständigkeit zu einem blühenden Gemeinwesen emporzuführen.

Ob es galt, Hunger und Seuchen zu bekämpfen, neue und bessere Möglichkeiten in der Land- und Forstwirtschaft oder in der beginnenden Industrie zu finden und zu nutzen, der Wissenschaft eine Pflegestätte nach der anderen zu erschließen, ob das nun im Joanneum, durch die Neugründung der Universität in Graz oder die Einrichtung der Montanschule in Leoben geschah, ob es darum ging, neue Verkehrswege wie z. B. die Südbahn für die Steiermark zu sichern, oder darum, Verkaufsmöglichkeiten für steirische Produkte im Ausland zu erschließen, in allem fand Erzherzog Johann, der den Grauen Rock zum Ehrenkleid für alle Steirer machte, kongeniale Mitstreiter unter den Besseren des Landes und offene und bereite Menschen, fähig, ihn zu verstehen und willens, gemeinsam mit ihm sein Werk für die Steiermark zu vollbringen, das in so vielem bis in unsere Tage heraufwirkt.

Seit der Zeit Erzherzog Johanns ist der Steiermark dennoch wenig erspart geblieben. Nach dem Ersten Weltkrieg verlor sie ein Drittel ihrer Landfläche gegen Süden hin, und auch der Zweite Weltkrieg hinterließ tiefe Spuren im Land. Bombenangriffe, die zeitweilige Einbeziehung ins Kriegsgebiet und die Besetzung des Landes nach Kriegsende schlugen ihm immer neue Wunden. Aber damals wie heute und vor 800 Jahren ist die Steiermark als Grenzland im Südosten Österreichs und des deutschen Sprachraumes treu zu ihrer Aufgabe gestanden und hat sie mehr als mit Anstand erfüllt. Sie tut es auch heute noch, indem sie die gutnachbarschaftlichen Beziehungen pflegt und daran mitwirkt, daß die Gren-ze, die es zu hüten gilt, immer mehr zu einem »lebendigen Zaun« wird, über den man sich, des Eigenen bewußt, gerne als Nachbarn die Hände reicht. Die Menschen der Steiermark sind dazu nicht nur aufgerufen und bereit, sie sind in ihrem gewachsenen Selbstbewußtsein ohne Überschätzung, geprägt durch jahrhundertelange Abwehrkämpfe, bereit zum Ausgleich und fähig, die Mitte zu erkennen und darnach zu handeln.

Die Grüne Mark ist durch den Fleiß und Kunstsinn ihrer Bewohner immer ein Land gewesen, in dem die Menschen mit der Hände Arbeit, mit Schaffensfreude und musischer Begabung beides verstanden haben: der Natur die Dinge abzuringen, die zum Leben notwendig sind und darüber hinaus vom häuslichen über den beruflichen Bereich bis hin zu den edlen Künsten ein hohes Maß an Kultur zu entwickeln, wobei ihnen ihre Offenheit und ihre Begabung, das rechte Maß zu halten, augenscheinlich zustatten kamen.

Die Basiselemente, auf denen die steirische Wirtschaft seit ihren Anfängen gründete, waren der Waldreichtum, dem das Land die Bezeichnung »Grüne Mark« verdankt, das Eisen und die Kohle. Der Erzberg als »Eiserner Brotlaib« des Landes wurde neben dem Abbau anderer Bodenschätze wie etwa Silber und Magnesit zentraler Ausgangspunkt der Industrialisierung des Landes. Mit seinem in einer völlig neuen Verfahrensweise durchgeführten Abbau war auch der Ausbau der Kohlengruben verbunden, weil man neben dem Holz bald einen besseren Energieträger zur Verhüttung des Erzes brauchte, den man neben der Wasserkraft in der Kohle fand. Und für alle sorgte ein Heer fleißiger Bauern, damit das Notwendige auf den Tisch kam.

Es hieße, sich selber in den Sack lügen, wollte man nicht erkennen, daß gerade aus dieser Strukturierung der steirischen Wirtschaft jene Schwierigkeiten erwachsen sind, die sie heute zu einem zähen Kampf zwingt, in dem nur einfallsreiches Umdenken das Überleben sichert. Die Zahl der selbständigen Bauern ist auf insgesamt acht Prozent der Bevölkerung zurückgegangen, und die 60 Prozent Wald, die den steirischen Boden zum Glück bedecken, bringen auf Grund der Entwicklung auf dem weltweiten Holzmarkt wirtschaftliche Probleme. Bei Eisen und Stahl erschweren internationale Strukturwandlungen die Situation.

Man versucht in der Steiermark, mit aller Kraft diesen Entwicklungen gerecht zu werden. Unter Einsatz neuer Ideen ist man daran, die Industrie auf hochwertige Produkte umzurüsten, neue Betriebe ins Land zu bringen, und aus der Landwirtschaft wird durch einen in steter Aufwärtsentwicklung begriffenen Fremdenverkehr Kapital geschlagen, ohne die Substanz zu zerstören. Zu den natürlichen Schönheiten, die das Steirerland zu bieten hat, werden den Gästen aus dem In- und Ausland gut ausgebaute Thermalbäder, künstliche Badeseen, Hallenbäder, Schilifte, Wanderwege, Golfplätze, Reitställe und neben vielen anderen Annehmlichkeiten die herzliche Gastfreundschaft in den steirischen Familienbetrieben der Fremdenverkehrswirtschaft angeboten.

Die Bauern als unermüdliche Pfleger der Landschaft arbeiten – in dieser Funktion stark unterschätzt – daran, daß dieses wichtige Kapital des Landes gepflegt und gehegt wird. Sie tragen mit ihrer Arbeit dazu bei, daß sie in Zukunft in ihrer ganzen Schönheit erhalten bleibt. An der Schwelle des Zeitalters der zweiten Industrialisierung präsentiert sich die Steiermark mit einer gesunden Mischung aus guterhaltener, vitaler Landschaft, die den Menschen den notwendigen Atemraum garantiert und einer ausbau- und wandlungsfähigen, wenn auch nicht problemlos strukturierten Wirtschaft, die, unterstützt durch das Wissen, das von den Hohen Schulen und anderen Einrichtungen des Landes kommt, getrost den Weg in die Zukunft antreten kann, gestützt auf die Geduld und den Fleiß der Steirerinnen und Steirer.

Auf der Suche nach dem, was der Kunstsinn im Lande entstehen hat lassen, wird man den Weg bei den Kunstschätzen der Klöster und Kirchen, der Burgen und Schlösser beginnen und bei den Kapellen und Wegkreuzen, aber auch den Zeichen profaner Kunst unserer Tage, ob in Museen oder vor und an Bauwerken fortsetzen müssen, wenn man ausloten will, was das Volk der Steirer hervorzubringen imstande war und ist.

Die Münster von Neuberg, Seckau und St. Lambrecht, von Rein, Admont und Vorau mit ihren Kunstschätzen und Bibliotheken seien hier als herausragende Beispiele ebenso genannt, wie die Johanneskapelle von Pürgg, die Wallfahrtskirchen von Mariazell und Maria Straßengel, das Landhaus, die Burg, der Dom und das Mausoleum Ferdinands II. in Graz, das Schloß Eggenberg als Beispiel für die anderen zahlreichen Schlösser und Burgen im Lande sowie unzählige Kirchen, Palais und Denkmäler.

Auch die Zahl der Vertreter der verschiedenen Kunstsparten und der Wissenschaft, die dem Land ihren mitprägenden Stempel aufdrückten, ist beachtlich. Ob es sich um Pietro de Pomis und Pietro Valnegro, die Erbauer des Mausoleums in Graz und dessen kongenialen Ausstatter Johann Bernhard Fischer von Erlach, um die Bildhauer Joseph Thaddäus Stammel und Veit Königer, die Komponisten Johann Joseph Fux und Hugo Wolf, die Dichter Robert Hamerling, Peter Rosegger, Max Mell, Paula Grogger und Franz Nabl oder die Nobelpreisträger Fritz Pregl, Julius Wagner-Jauregg, Erwin Schrödinger, Otto Loewi und Karl von Frisch handelt, sie alle haben nicht nur dazu beigetragen, den Ruf des Landes in der Welt zu verbreiten, sie haben auch jenes geistig offene und allem Neuen aufgeschlossene Klima mitbestimmt und ermöglicht, das heute die Steiermark ganz selbstverständlich als ein Land der Jungen Kunst dastehen läßt, in dem in einem breiten Spektrum ein Forum Stadtpark ebenso möglich ist wie der Steirische Herbst, als einziges umfassendes Avantgardefestival der Welt und in dem auch durchaus konservativ eingestellte Künstlervereinigungen ihren angestammten und berechtigten Platz haben, als ein Land, in dessen Theatern nicht nur Werke von Richard Wagner, Mozart, Verdi, Richard Strauss, Goethe, Shakespeare, Anouilh und Nestroy Fixpunkte im Spielplan darstellen, sondern in denen auch dem avantgardistischen Musik- und Sprechtheater viele Möglichkeiten geboten werden.

Das Studium der Liste der Künstler, die in der Steiermark gewirkt haben und wirken, läßt erkennen, wie die verschiedensten Kunstauffassungen in den einzelnen Disziplinen ihren Ausdruck finden und wie hier alle, ob Maler, Bildhauer, Plastiker und Objektkünstler, Komponisten und Musiker, Dichter und Schriftsteller jenen geistigen Atemraum gefunden haben und finden, der ihr Schaffen ermöglicht.

Die Steiermark ist in ihrem Wesen und in ihrer Eigenart ein Land, in dem das Große möglich ist und stattgefunden hat. Sie ist aber auch ein Land, in dem das Kleine hineingewoben ins Netz der Geschichte und aufgehoben in einer Landschaft, die die Ahnung der Vollendung in sich trägt, seine Rechtfertigung findet.

* Die Zitate stammen aus einem Aufsatz des Kulturpolitikers und Volkskundlers, Landtagspräsident a. D. Univ.-Prof. Dr. Hanns Koren.

Styria

There is something special about the Styrian scenery. Craggy peaks, deeply wooded gorges, gently merging hills and spreading valleys, the dream and the lucid reality of the capital city of this province, the endless stretch of vineyards — all this is permeated with a sense of space, a promise of completion.

Contemplating Styria's varied scenery and its multitude of shapes and forms, one is reminded perhaps of Tuscany in the early summer or of Venice in the winter, so deep is the impression left. It is difficult to define in words, but the perceptive beholder will sense it when confronted with the glacier world of the Dachstein or when driving through the Ennstal at the foot of the sheer face of the Grimming, he will sense it when tatters of morning mist float across the valley between melancholy stooping huts of hay or when pine forests summon the faithful like some green cathedral spire. He will sense it amidst the Salzkammergut lakes and when he gazes at those kindly mountain ridges surrounding Graz, ridges in which the might of the Alps expires; he will sense it, too, in a bright summer's meadow amongst the east Styrian hills or amidst the orchards and vineyards of western and southern Styria, when the ripe fruits and the russet woods of autumn unfurl their splendour beneath a blue sky interwoven with gold. Inexplicable enchantment, not compelling speech, yet unravelling the mystery of the place.

A study of the landscape brings one closer to the truth about the people in this province. It must be regarded as an acknowledged fact that "Nature herself did not provide for a self-contained province with distinct borders and with fixed points of order for a community of people. No invitation existed to create from seemingly divergent landscapes a uniform pattern which could acquire the character of a province. The only conclusion remaining is that Styria's becoming a province was not spontaneous, but was a gradual process, a result of conscious decisions, man's creation. Human understanding and human action perceived and grasped a central core in the midst of partial landscapes which fitted together to form a unity. 'Pushed together' by outside forces — by those 'powers of history' from which no country and no people can escape — it slowly and gradually acquired an existence and an autonomy of its own. The various contributory factors can no longer be established, but — however it happened — man 'discovered' this province, gave it form and purpose, or found a purpose in it."*

From the time when the first people settled here some 100,000 years before the birth of Christ until the present day Styria has always had important tasks to fulfil, whether as a bulwark to ward off repeated attacks by the Hungarians, Turks and French, as the occasional imperial residence, as an important site at the beginning of industrialization in Central Europe at the time of Archduke Johann or, finally, as a cultural pivot, again making the province a focus of European interest today by way of the "Steirische Herbst" event or thanks to the reputation of its poets and its university.

The race of people who inhabit Styria and who still have to bear much of the burden of difficulties pressing upon Austria from the outside and the inside today were moulded by an eventful history. Their main role usually consisted of supporting others and fighting for others in order to survive themselves. The glittering highlights were extremely few and far between. The harshness of fate and a landscape which, despite its beauty, gives away nothing made these people what they are today: people distinguished by self-assurance and a love of liberty, people whose nature harbours an intimation of space — this is inherent in the Styrian landscape — which crystallizes in the reality of an open, friendly way of life and genuine liberality.

Numerous peoples settled for longer and shorter periods in the area which is now Styria and it was usually a component of other states chosen for purposes of defence. Illyrians, Venetians, Celts, Romans and Slavs settled here successively, leaving traces of their culture and of their talents. Styria was once incorporated in the kingdom of Noricum and in the Roman province of the same name, it was a part of Pannonia and, later, part of the Duchy of Karantanien. It was always a border country, towards Pannonia for the people of Noricum, towards the east for the Karantaniens or, in 970 as the "marcha carentana" — the first time it was so designated — intended as a protective southern flank for the northern mark of "Ostarrichi". The phrase "no Austria without Styria" first started to acquire meaning at that time and is still uttered with pride today. The course of history — during which the area became known as "Stireland", the Margraviate and, finally, the Duchy of Styria — made the burden of duties borne for Austria by the "marcha carentana" no easier.

But back to the period at the turn of the first millenium after the birth of Christ. At first the Eppensteins ruled Styria until this authority was transferred to the Traungau family in 1055. 125 years after coming to power this line of counts succeeded in acquiring the status of an independent duchy for their border region on the river Mur and for the various marches and counties which had since become part of it.

Anxious to retain the balance of power in his empire, Frederick Barbarossa formed the opinion that the Bavarian duke was too generous with the abundant powers granted him by the emperor. He therefore excluded Styria and other areas from the duke's feudal rights. In 1180 he made his nephew, Ottokar IV, duke and placed him on a level with the Bavarian. Ottokar was a sick man, however, and was not destined to live long or to be blessed with heirs. When he died of leprosy in 1192, his line died with him and the Babenbergs became rulers of Styria in accordance with his wishes. The Georgenberg document of 1186 had secured the rights of the Styrian great vassals. Duke Leopold of Austria — Ottokar bequeathed his duchy to him — secured these rights for his successors, too, and stipulated at Georgenberg that the Styrians be allowed to appeal to the emperor and to invoke a princely court, should their ruler prove to be tyrannical. The rights or "liberties" which the Styrian nobility acquired here are to be regarded as the rights of the province itself and they underline the constitutional significance of the Georgenberg document.

On the basis of this document the Babenberg era became the great era for the Styrian noble vassals. They became the upholders of Styria's self-awareness and this was to have a decisive effect during the period of interregnum. After the death of the last Babenberg, Frederick the quarrelsome, in 1246, Styria became an object of contention between Bohemia and Hungary. When at first it was ceded to Hungary in the treaty of Ofen – this was drawn up thanks to the mediation of the Pope – the Styrian nobles successfully rebelled against Hungarian rule. Finally, in 1260, the treaty of Vienna awarded the area to Premysl Ottokar who had defeated Bela IV, the king of Hungary, and who gradually brought back security and peace to Styria. The regard in which this Bohemian was first held soon cooled, however, when he placed increasing pressure on the Styrian nobles. The Styrians rose up against him and joined forces with Rudolf of Habsburg. He had been elected king in 1273 and four years later, on 18th February, 1277, he confirmed the rights previously granted to the Styrian great vassals by earlier rulers and he also pledged that he would only confer the duchy of Styria on that prince in whom the majority of vassals voiced their trust. Styria's reputation and its burden grew in proportion to the House of Austria's responsibility for the whole German Empire. While serving Austria, the province stood the test and was consolidated. "Its capital increasingly became a meeting-point for intellectual, cultural, economic and political forces. It was thus a natural consequence that Styria should become the 'Vorland' of all inner Austrian territories from the Alps to the Adriatic when this inner Austria was institutionalized as an independent state in 1564; Graz, as the ruling prince's residence, became the capital of inner Austria. It constituted the main stronghold against the Turks in the great line of defence to the south-east which was administered by Styria's ruler as incumbent of the eternal and perpetual generalship of the Slovene and Croatian borders. Graz was also the capital where the religious struggle was contended more fervently by both sides than elsewhere, it was moreover the city of learning and of scholars who went about their work at the Jesuit University founded by Archduke Karl II and at the evangelical school foundation which was maintained by the Styrian estates. Despite the fact that he was a Protestant, Johannes Kepler nevertheless maintained professorial connections with colleagues at the Catholic university. These were turbulent, sorrowful and great times for Graz and for Styria. The province had recognized its dimensions and the efforts which originated here for peaceful coexistence between German, Slovene and Latin peoples are still reflected in the outward countenance of the city today."*

Not only in its outward appearance either: the annual "Steirischer Herbst" event provides an intellectual and artistic meeting-point for Italy, Yugoslavia and Austria in Graz, an obvious indication of how Inner Austria's intellectual range has remained durable up to the present day.

But let us return to those days when, as a belated consequence of the "Styrian" Emperor Ferdinand's moving his residence to Vienna in 1749, Graz lost its pre-eminence as the capital of Inner Austria. The splendour held so dear finally began to pale and this region which over the centuries had suffered more than its share of disasters and which had been menaced by Hungarians, Turks, the plague, locusts, French troops and economic distress was once again hit by hard times. Once again the area was pushed away into a corner of history and it was in a most lamentable condition when, almost miraculously and just at the right moment, Archduke Johann of Austria arrived in languishing Styria — his royal brother had forbidden him to remain in his beloved Tyrol — to become its great saviour as "Styrian prince".

Here mention must be made of the part played by the Church in the province's development. Long before Styria or even a duchy had come into being, the various religious orders had shaped the land spiritually, this having a decisive influence on the way it took shape materially. The members of these orders built the churches, new centres of spiritual life, they started to establish great libraries, they pioneered schooling and they sent out their priests to the remotest borders of loneliness and to the far-scattered settlements of the land in order to preach the gospel.

The influence of the monasteries was in truth immeasurable, embracing the nobles in their castles and palaces and their servants below stairs, colouring their attitudes and their actions. Thus upon his arrival here Archduke Johann encountered people who were prepared to accept him and his ideas, enabling him to set about creating his Utopia and together with them to lead the province away from poverty and backwardness to become a flourishing community.

Whether fighting hunger and pestilence, finding new and better methods for agriculture and forestry — and for the industry which was just emerging at that time — nurturing science by founding the Joanneum, the university in Graz or the school of mining in Leoben, providing new means of communication for Styria, e. g. the southern railway line, or opening up foreign markets for Styrian products, Archduke Johann found willing helpers and open-minded people, ready to understand him and prepared to carry out his work with him for Styria. The benefits of much of it can still be felt in our day. Nevertheless, Styria has been spared little since Archduke Johann's time. After the First World War it lost one third of its territory in the south and the Second World War, too, left its traces. Bombing, the fact that the province was at times part of the scene of fighting, and the occupation after the War all took their toll. But Styria has throughout the course of its history always remained true to its task as a border province in south-east Austria and the German-speaking area, a task it has admirably fulfilled.

It continues to do so today by remaining on good terms with its neighbours and by helping to ensure that the border is more and more a "quickset hedge" across which people are only too pleased to join hands. Centuries of defending their rights have formed the people of Styria, giving them a natural self-assurance and making them able and willing to recognize a compromise and to act accordingly.

Thanks to its inhabitants' industry and their artistic strain, Styria has always succeeded in wresting the necessities of life from Nature and in developing a high standard of culture in the domestic, professional and artistic spheres. The people's candour and their talent for moderation have obviously served them to good purpose here.

The natural resources upon which the Styrian economy was based from the very beginning were prolific forest, iron and coal. Iron ore, silver and magnesium carbonate were the basic elements of industrialization. In order to smelt the ore a better source of energy than wood was soon required; coal mining thus developed. An army of hard-working farmers looked after everyone, ensuring that the table was stocked with every necessity.

It would be self-deception not to recognize that this very structure of the Styrian economy was the root of those difficulties which it is experiencing today. Survival can only be secured by an imaginative process of rethinking. The number of self-employed farmers has dropped to eight per cent of the total population. Sixty per cent of Styria is wooded land and developments on the internatio-nal timber market mean that economic problems are encountered here, too. International structural changes have aggravated the situation on the iron and steel sector.

Styria is making every effort to deal with these developments. New ideas are being applied to adapt industry to high-quality products; tourism is an ever-growing sector and capitalizes on agriculture without depleting it. Styria's natural assets are being supplemented by amenities like thermal baths, artifical bathing lakes, indoor swimming pools, ski lifts, paths, golf courses and riding stables. These, together with the warm hospitality encountered in Styrian family establishments, constitute a major attraction for visitors from Austria and abroad.

As tireless cultivators of the scenery, the farmers, whose role is grossly underestimated, ensure that this important asset is tended and cherished. Their work helps to ensure that the landscape is conserved in its full beauty for posterity. Now, on the threshold of the second industrial age, Styria is a sound blend of well-tended, vital scenery and an expandable and adaptable economy. Even if the latter is not free from problems, it can neverthe-less face the future optimistically, backed by the knowledge and expertise of Styrian educational establishments and supported by the Styrian people's patience and industry.

Those in search of art's legacy to the province and wishing to become acquainted with the Styrian gifts and abilities will set out from the monasteries and churches, the castles and palaces, and will proceed to the chapels and wayside crucifixes and to those examples of modern secular art to be found in museums and in the architecture.

Outstanding examples here are the minsters of Neuburg, Seckau, St. Lambrecht, Rein, Admont and Vorau with their art treasures and their libraries, then St. John's chapel at Pürgg, the pilgrimage churches of Mariazell and Maria Strassengel, the Landhaus, the castle, the cathedral and Ferdinand II's mausoleum in Graz and, as one example of the many palaces and castles throughout the province, Eggenberg castle, not to mention countless other churches, great houses and monuments.

The artists and scientists who helped to shape this province are legion: Pietro de Pomis and Pietro Velnegro, the builders of the mausoleum in Graz, Johann Bernhard Fischer von Erlach, that genius who designed its interior, Joseph Thaddäus Stammel and Veit Königer, the sculptors, Johann Joseph Fux and Hugo Wolf, the composers, Robert Hamerling, Peter Rosegger, Max Mell, Paula Grogger and Franz Nabl, the poets, or Fritz Pregl, Julius Wagner-Jauregg, Erwin Schrödinger, Otto Loewi and Karl von Frisch, the Nobel prize-winners, all enhanced Styria's reputation, shaping its atmosphere of intellectual enlightenment. Thanks to their contribution Styria has become a home of young art, its broad spectrum embracing events like the "Forum Stadtpark" and the "Steirischer Herbst", a uniquely comprehensive avant-garde festival in which conservative artists also take their regular place. Avant-garde music and plays are just as much a part of the theatre scene here as are the works of Richard Wagner, Mozart, Verdi, Richard Strauss, Goethe, Shakespeare, Anouilh and Nestroy.

A glance at the list of artists who have worked and still work in Styria shows how very varied are the movements represented. All − painters, sculptors, composers, musicians, poets and writers − have found here that free environment which makes their creativity possible.

Its nature and its uniqueness make Styria a place where great things are possible and have been achieved. Equally, it is a place where small things have their justification, interwoven in the tapestry of history, suspended in a landscape which gives an intimation of completion.

* The quotations are taken from an essay by Landtagspräsident Prof. Dr. Hanns Koren.

La Styrie

Le paysage de la Styrie a un charme particulier. Qu'il s'agisse des rochers de la haute montagne ou d'un profond ravin dans une forêt, des collines ondoyantes ou des larges vallées, de la capitale du pays unissant le rêve à la claire réalité ou des vignobles dans une vaste plaine, partout on sent l'infini et la perfection.

En contemplant les multiples aspects du paysage de la Styrie et de ses formes, on éprouve un peu les mêmes sentiments qu'en Toscane au début de l'été ou à Venise en hiver. Il est difficile de dépeindre ces impressions avec des mots, mais le visiteur réceptif les sent en voyant les glaciers du Dachstein, en suivant la vallée de l'Enns au pied de l'imposant Grimming, quand les brumes matinales se traînent entre les fenils au fond de la vallée et que les forêts de conifères se dressent comme une verte cathédrale et incitent au recueillement. Il les sent également en contemplant le paysage des lacs du Salzkammergut ou les charmantes collines qui entourent Graz où se termine la puissance et la majesté des Alpes, dans les prés des collines de l'Est de la Styrie un jour d'été ou dans les vergers et les vignobles de l'Ouest et du Sud du pays, quand les fruits mûrs et les forêts de l'automne déploient leurs splendeurs sur la toile de fond d'un ciel bleu. C'est à la fois inexplicable et captivant, indescriptible et révélateur malgré tout du secret du pays.

L'étude du paysage de la Styrie nous rapproche un peu de la vérité sur les gens de ce pays. Il faut également tenir compte du fait que ce pays n'a guère de sites homogènes, de points fixes dans la nature et que les conditions nécessaires à la formation d'une communauté n'y existaient guère. Et les sites hétérogènes du pays n'incitaient guère à la formation d'un pays homogène et ayant un caractère bien à lui. En conclusion: la formation de la Styrie n'est pas une œuvre spontanée, mais bien un processus historique dû à des décisions conscientes et à la créativité de ses habitants. Au centre de ces sites variés, l'esprit humain et la créativité des gens ont trouvé un noyau. Ce qui vint de l'extérieur – des «forces de l'histoire» – et à quoi aucun pays et aucun peuple ne peuvent échapper, a pris lentement et à la longue une vie propre soumise à des lois intrinsèques. Tout ce qui y a contribué ne peut plus être documenté. Toujours est-il que des gens ont découvert ce pays, lui ont donné des formes et un sens et y ont trouvé un sens.*

Le peuplement de la Styrie actuelle date d'il y a environ 100.000 ans avant J.-C. Jusqu'à nos jours la Styrie a toujours eu des missions essentielles à remplir, comme bastion contre les invasions des Hongrois, des Turcs et des Français, comme résidence impériale provisoire, comme région d'élection au début de l'industrialisation de l'Europe centrale sous l'archiduc Jean et finalement comme centre culturel qui trouve son expressions dans «L'Automne Styrien» et dont les écrivains et les grandes écoles sont réputés dans toute l'Europe.

Le caractère des gens qui peuplent la Styrie et qui portent également le poids des difficultés inhérentes à l'Etat autrichien a été formé au cours d'une histoire mouvementée. Leur rôle essentiel était généralement de se battre pour les autres pour trouver le moyen de survivre eux-mêmes. Et rarement ils pouvaient jouir des heures de gloire de leur histoire. Les dures épreuves du destin et un paysage qui, malgré toute sa beauté, ne fait pas de cadeau firent des Styriens ce qu'ils sont encore de nos jours: une race consciente d'elle-même, éprise de liberté et dont le caractère laisse entrevoir la grandeur historique de la Styrie. Le Styrien est ouvert à la réalité, il est gentil et d'une grande libéralité d'esprit.

De nombreux peuples s'installèrent pour plus ou moins longtemps sur le territoire de la Styrie actuelle. Et la plupart du temps le pays fit partie d'autres Etats à des fins défensives. Les Illyriens, les Vénètes, les Celtes, les Romains et les Slaves peuplèrent à tour de rôle le pays et y laissèrent les traces de la culture et des talents de leur peuple. C'est ainsi que la Styrie fit partie du royaume de Norique et de la province romaine du même nom, d'une partie de la Pannonie et plus tard du duché de Carantanie. Ce fut toujours une zone tampon. La Styrie était pour les habitants de Norique une protection contre la Pannonie, pour les habitants de Carantanie un bouclier contre l'Est et pour la Marche d'Autriche située au nord une protection contre le Sud en tant que Marche de Carantanie à partir de 970. Et c'est de là que vient la devise «Sans Styrie pas d'Autriche». Et les Styriens en sont encore fiers de nos jours, cette devise ayant gardé tout son sens. La tâche assumée par la Marche de Carantanie pour l'Autriche ne devint pas plus facile au cours des âges, ni pour le margraviat de Styrie ni pour le duché. Mais revenons au seuil du premier millé-

naire après J.-C. Ce furent tout d'abord les Eppenstein qui régnèrent en Styrie. En 1055 leur succédèrent les Traungauer. Cette famille de comtes régna durant 125 ans. Elle parvint à agrandir ses possessions territoriales en y ajoutant des margraviats et des comtés, pour finir par créer un duché indépendant.

Soucieux de l'équilibre de l'empire, Frédéric Barberousse était d'avis que la puissance du duc de Bavière dépassait les limites et lui enleva la suzeraineté sur la Styrie. En 1180 il éleva son neveu Ottokar IV de Traungau au rang de duc et le mit ainsi sur le même pied que le duc de Bavière. Mais Ottokar était un homme malade. Il ne vécut pas longtemps et n'eut pas de descendants. Il mourut de la lèpre en 1192 et, suivant ses dernières volontés, les Babenberg lui succédèrent dans le duché de Styrie. Dès 1186, la noblesse de Styrie s'était vu confirmer par écrit les droits qui lui avaient été concédés par les Ottokar. Ce document conçu sous Ottokar avait été reconnu par le duc Léopold d'Autriche et ses descendants étaient tenus de le respecter. Au cas où le prince-régnant serait un tyran, les Styriens pouvaient s'adresser à l'empereur pour faire valoir leurs droits auprès d'un tribunal de la noblesse. Il faut dire que ces droits ou «libertés» étaient aussi ceux du pays. Ce qui souligne l'importance politique et étatique du document de Georgenberg.

C'est sur la base de ce document que l'époque des Babenberg devint la grande époque de la Styrie. Les fonctionnaires de la noblesse devinrent la pierre angulaire de la prise de conscience de la Styrie, ce qui eut une grande importance jusqu'à l'époque de l'interrègne. Après la mort du dernier Babenberg, en 1246, la Styrie devint un objet de discorde entre la Bohême et la Hongrie. Une intervention du Pape lors de la Paix de Ofen fit passer le pays à la Hongrie. Mais la noblesse styrienne se souleva et se débarrassa de la suprématie hongroise. Après la Paix de Vienne, en 1260, la Styrie fut placée sous le Règne de Premysl Ottokar, qui avait vaincu le roi de Hongrie Bela IV. Petit à petit, la sécurité et la paix revinrent en Styrie. Mais l'affection tout d'abord témoignée envers ce prince de Bohême refroidit bien vite, quand il fit de plus en plus pression sur la noblesse styrienne. Les Styriens se soulevèrent contre lui et s'allièrent à Rodolphe de Habsbourg, élu roi en 1273, et qui, quatre ans plus tard, exactement le 18 février 1277, reconnut les droits concédés aux Styriens par les princes précédents. Il assura également que la suzeraineté sur la Styrie ne serait accordée qu'à un prince accepté par la majorité de la noblesse styrienne.

La réputation et les charges de la Styrie augmentèrent au fur et à mesure que les responsabilités de la Maison d'Autriche au sein de l'Empire allemand augmentèrent. C'est au service de l'Autriche que la Styrie fit ses preuves et se consolida.

«Sa capitale devint de plus en plus un centre de la vie religieuse, culturelle, économique et politique. Comme conséquence logique des événements, la Styrie devint le poste avancé de toutes les régions à l'intérieur de l'Autriche et aussi entre les Alpes et l'Adriatique, surtout quand l'Autriche devint un Etat institutionnalisé en 1564 et que Graz en tant que résidence princière devint aussi la capitale officielle de l'Autriche centrale. Graz était la principale forteresse de la ligne de fortifications contre les Turcs au Sud-Est de l'Autriche. Détenteur du généralat permanent et administrateur de la frontière wende et croate, le prince-régnant résidait à Graz. La capitale de la Styrie était une ville où les luttes de religions furent plus dures que partout ailleurs. C'était aussi une ville de savants qui exerçaient leurs activités à l'Université des Jésuites fondée par l'archiduc Charles II ou dans l'école protestante fondée et entretenue par les corporations styriennes.

Professeur protestant, Johannes Kepler, astronome et mathématicien, entretenait des relations cordiales avec l'Université catholique. C'est à cette époque que Graz et la Styrie vécurent une période à la fois mouvementée et grande. La Styrie prit conscience de ses dimensions et entretint des relations paisibles et amicales avec les Wendes et les Italiens, ce qui se reflète encore de nos jours dans l'aspect extérieur de la ville. Et pas seulement dans son aspect extérieur. De nos jours le TRIGON est un facteur intégrant de «L'Automne styrien», le point de rencontre des forces spirituelles et artistiques de l'Italie, de la Yougoslavie et de l'Autriche à Graz. Cela prouve combien le rayonnement intellectuel et artistique des provinces intérieures de l'Autriche est resté vivant. Mais revenons à l'époque où Graz perdit ses prérogatives de capitale de l'Autriche centrale quand l'empereur «styrien» Ferdinand transféra sa résidence à Vienne, en 1619. La magnificence s'évanouit à jamais et une dure époque commença pour le pays. Rien ne lui fut épargné au cours des siècles qui suivirent: les invasions des Hongrois et des Turcs, la peste, les nuages de sauterelles, l'occupation française et la misère économique.

Le pays était refoulé dans un coin obscur de l'histoire. Par miracle ou par la volonté du destin, l'archiduc Jean d'Autriche, auquel l'empereur son frère avait interdit de rester au Tyrol, vint s'établir en Styrie. Ce fut le sauveur en dernière extrémité.

Mais ouvrons une courte parenthèse sur le rôle de l'Eglise en Styrie. Bien longtemps avant la formation du land de Styrie ou même du duché, les ordre religieux avaient constitué une sorte de cadastre spirituel qui eut une grande influence sur la répartition matérielle des terres. Ce sont eux qui fondèrent des centres spirituels et des bibliothèques, qui créèrent des écoles et qui envoyèrent des prêtres dans les coins les plus reculés du pays pour y prêcher l'Evangile.

L'influence des monastères sur le pays conjuguée avec celle des seigneurs se reflétait dans le travail des habitants. Et quand l'archiduc Jean vint ici, tout cela contribua à ouvrir l'esprit de la population aux nouvelles idées, à changer la substance du pays, à réaliser l'utopie de l'archiduc et à tirer les habitants de leur pauvreté et de leur état rétrograde pour faire du pays une communauté prospère. Qu'il s'agisse de combattre la faim ou les épidémies, de trouver de nouvelles possibilités pour l'agriculture et l'exploitation forestière, d'encourager l'industrie naissante, d'ouvrir de nouvelles voies à la science par la création du Joanneum, de la nouvelle Université de Graz et de l'Ecole des Mines de Leoben ou d'assurer la construction de la ligne de chemin de fer du Sud, qui permettait d'ouvrir de nouveaux marchés aux produits styriens, partout et toujours l'archiduc Jean, vêtu du costume gris qui devint l'uniforme styrien trouva un appui précieux parmi les esprits ouverts de ce pays qui étaient tout prêts à l'aider dans sa tâche et à faire de la Styrie une région prospère. Les efforts entrepris à cette époque ont marqué le pays de façon durable.

La Styrie eut beaucoup à souffrir depuis l'époque de l'archiduc Jean. Elle perdit un tiers de son territoire après la première Guerre mondiale, au sud du pays. Et la deuxième Guerre mondiale y laissa des traces profondes. Les attaques aériennes, la guerre sur le territoire de la Styrie et l'occupation après la guerre causèrent de profondes blessures. Mais naguère comme maintenant ou il y a 800 ans, la Styrie en tant que zone frontière du sud-est de l'Autriche et plus généralement des pays de langue allemande resta fidèle à sa tâche qu'elle remplit avec dignité.

Elle le fait encore aujourd'hui, en cultivant les relations de bon voisinage et en contribuant à faire de la frontière une «clôture vivante» où l'on se tend la main, tout en conservant ses propres particularités. Non seulement les Styriens étaient prédestinés à cette tâche, mais en prenant conscience de leur fonction spécifique au cours de plusieurs siècles de combats défensifs, ils sont devenus conciliants et capables de trouver le juste milieu.

Grâce au travail et au sens artistique de ses habitants, la Marche verte a toujours été un pays où les gens ont su œuvrer de leurs mains, avec une joie créative et un talent inné pour les arts. Ils ont su tirer de la nature les choses qui sont nécessaires à la vie. Au-delà des occupations ménagères et professionnelles, ils ont su développer une haute culture. Leur esprit ouvert et leurs talents ont toujours su trouver la juste mesure.

La richesse forestière à laquelle la Styrie doit son nom de «Marche verte», le minerai de fer et le charbon furent les éléments de base de l'économie styrienne. A côté du minerai de fer du Erzberg, le «pain de fer de la Styrie», les gisements de minerai argentifère et de magnésite furent au départ de l'industrialisation du pays. Un nouveau procédé permit une meilleure exploitation des mines de charbon. Celui-ci remplaça bientôt le bois et l'énergie hydraulique comme sources énergétiques industrielles. Et les paysans laborieux étaient là pour pourvoir au ravitaillement de la population.

Il faudrait être aveugle pour nier que cette structuration de l'économie styrienne contribue aux difficultés que nous constatons de nos jours et que seules une lutte opiniâtre et une imagination féconde permettent la survie. Les paysans indépendants ne constituent plus que huit pour cent de la population, et l'exploitation des forêts qui couvrent soixante pour cent de la superficie de la Styrie est en proie aux difficultés mondiales du marché du bois, ce qui cause de sérieux problèmes économiques. En ce qui concerne le fer et l'acier, les modifications des structures internationales augmentent les difficultés.

En Styrie, on s'efforce de remédier à cette situation. C'est avec de nouvelles idées que l'on s'efforce d'innover une industrie de haute technologie, d'attirer de nouvelles entreprises dans le pays et de tirer profit d'un paysage qui attire de plus en plus les touristes, sans pour cela détruire la substance du pays. Parmi les beautés naturelles que la Styrie offre à ses visiteurs autrichiens et étrangers, il faut citer des stations thermales fort bien équipées, des lacs pour la baignade, des piscines couvertes, des téléskis, des chemins de randonnées, des terrains de golf, des manèges hippiques et de nombreuses autres facilités touristiques faisant la joie des vacanciers. Il faut également citer l'accueil cordial et l'hospitalité des établissements hôteliers de la Styrie. Il s'agit généralement d'entreprises familiales. Le paysan cultive la terre et rend les campagnes encore plus belles – cette fonction n'est pas toujours estimée à sa juste valeur –, il contribue ainsi à l'entretien du paysage et son travail conserve toute sa beauté au pays. Au seuil de l'époque de la deuxième industrialisation, la Styrie est un pays sain, jouissant à la fois d'un paysage vital et bien conservé, garantissant l'espace nécessaire, et d'une économie non sans problèmes, mais qui peut être transformée et remaniée, avec l'appui et l'aide de la science des Grandes Ecoles et des autres institutions du pays. La Styrie peut envisager l'avenir avec confiance, forte de la patience et de l'esprit travailleur de ses habitants.

A la recherche de ce que le sens artistique du pays a créé, nous admirerons les trésors d'art des monastères, des châteaux, des chapelles et des montjoies, mais aussi l'art profane d'aujourd'hui dans les musées ou dans les monuments d'architecture. C'est ainsi que l'on peut se rendre compte de ce dont le peuple styrien est capable.

Les monastères de Seckau, St. Lambrecht, Rein, Admont et Vorau avec leurs trésors d'art et leurs bibliothèques en sont des témoignages inoubliables, tout comme la chapelle St. Jean de Pürgg, l'église de pèlerinage de Maria Zell ou celle de Maria Strassengel, le Landhaus, le château, la cathédrale et le mausolée de Ferdinand II à Graz, le château d'Eggenberg ainsi que les nombreux autres châteaux, églises, palais et monuments du pays.

Le nombre des artistes et des hommes de science qui marquèrent le pays de leur sceau est également éloquent. Qu'il s'agisse de Pietro de Pomis, de Pietro Valnegro, le constructeur du mausolée de Graz, de Johann Bernhard Fischer von Erlach, des sculpteurs Joseph Thaddäus Stammel et de Veit Königer, des compositeurs Johann Joseph Fux et Hugo Wolf, des poètes Robert Hammerling, Peter Rosegger, Max Mell, Paula Grogger et Franz Nabl, des Prix Nobel Fritz Pregel, Julius Wagner-Jauregg, Erwin Schrödinger, Otto Loewi et Karl von Fritsch, tous ont largement contribué à la renommée du pays dans le monde. Ils y furent marqués par un esprit ouvert et par un climat propice aux innovations. Ceci fait que le Styrie est aujourd'hui un pays de l'art jeune, où ont leur place non seulement le Forum Stadtpark et l'Automne Styrien, seul festival d'avant-garde du monde englobant toutes les formes de l'art, mais aussi les associations d'art classique, un pays où l'on joue non seulement des oeuvres de Richard Wagner, Mozart, Verdi, Richard Strauss, Goethe, Shakespeare, Anouilh et Nestroy, mais aussi des opéras et des pièces d'avant-garde.

L'étude de la liste des artistes qui ont travaillé en Styrie et qui y travaillent encore laisse entrevoir la diversité des tendances artistiques. Qu'il s'agisse de peintres, de sculpteurs, d'ensembliers, de compositeurs et de musiciens, de poètes et d'écrivains, tous ont trouvé et trouvent ici l'ambiance propice à leur créativité.

Dans son essence même et dans ses particularités, la Styrie est un pays où la grandeur est possible et a existé. C'est également un pays où les petites choses font partie de la tapisserie de l'histoire, dans un paysage qui laisse entrevoir la perfection et la porte en lui-même.

* Les citations sont tirées des œuvres de l'ethnologue et président de la Diète de Styrie, le Pr. Dr. Hanns Koren.

Felsen, Seen und Blumenmeere

Rocks, lakes and
a sea of flowers

Rochers, lacs,
vastes champs de fleurs

→

Die bodenständige Noblesse der Altausseer Tracht ist charakteristisch für die Menschen im steirischen Salzkammergut

The innate dignity of the Altaussee costume is characteristic of the people in the Styrian Salzkammergut

La noble harmonie du costume folklorique d'Aussee inspirée du terroir se retrouve dans le caractère des habitants du Salzkammergut styrien

Mächtig und majestätisch präsentiert sich der Dachstein an seiner Südseite zum Ennstal hin

Mighty and majestic, the southern flank of the Dachstein surveys the Ennstal

La face sud du Dachstein vue de la vallée de l'Enns s'élève imposante et majestueuse

Das Ausseer Narzissenfest ist ein Begriff. Ebenso die Pracht der Narzissenwiesen im Ausseerland

The Aussee narcissus festival needs no introduction, nor does the radiance of the narcissus fields in the Ausseerland

La Fête des Narcisses à Aussee est aussi célèbre que les magnifiques champs de narcisses de la région

Abwechslungsreich wie die Stimmungen der Natur ist
die Schönheit der Seen – hier der Grundlsee – im
steirischen Teil des Salzkammergutes

The beauty of the lakes in the Styrian part of the Salzkammergut – here the Grundlsee – is constantly
changing, in tune with Nature's moods

Les lacs du Salzkammergut styrien reflètent les
beautés changeantes de la nature. Ci-dessus: le
Grundlsee

1

2

Der Altausseer-See (1) und der mächtige Gebirgs-
stock des Grimming im Winter (2) sind von glei-
chem Reiz wie die schroffen Wände des Gesäuses
(3) oder ein stilles Stück Ennsufer in der Sommer-
sonne (4)

The Altaussee lake (1) and the rugged massif of
the Grimming in winter (2) are as captivating as the
craggy face of the Gesäuse (3) or a quiet corner of
the Enns (4) in the summer sunlight

Le lac de Altaussee (1) et le massif imposant du
Grimming en hiver (2) sont d'une beauté aussi
attachante que les parois abruptes du Gesäuse (3)
ou les rives ensoleillées de l'Enns en été

Landschaft, Kunst und Brauchtum in fotografischen Schlaglichtern: Die Weltmeisterschaftsstadt Schladming (3), die Wallfahrtskirche Frauenberg bei Admont (1), die Admonter Madonna, zu bewundern im Joanneum in Graz (2), Detail aus dem Freskenzyklus in der Spitalskirche von Bad Aussee (4) und die Ausseer Flinserln (5)

Scenery, art and traditions captured by the camera: the world championship town of Schladming (3), the pilgrimage church of Frauenberg near Admont (1), the Admont madonna, on show in the Joanneum at Graz (2), a detail from the cycle of frescos in the Spitalskirche at Bad Aussee (4) and the Ausseer ''Flinserln'' (5)

Quelques instantanés sur le paysage, l'art et les coutumes: la ville de Schladming, célèbre pour ses championnats du monde de ski (3), l'église de pèlerinage de Frauenberg près d'Admont (1), la Madonne d'Admont au musée Joanneum de Graz (2), un détail du cycle de fresques de la Spitalskirche de Bad Aussee (4) et les «Flinserln» d'Aussee (5)

Zu den ältesten Zeug-
nissen der Kunst in der
Steiermark gehört die
romanische Johannes-
Kapelle in Pürgg

The Romanesque cha-
pel of St. John in Pürgg
is one of the oldest ex-
amples of art in Styria

La chapelle Saint-Jean
à Pürgg, de style ro-
man, compte parmi les
plus anciennes riches-
ses artistiques de la
Styrie

←

Ein außergewöhnlicher
Blick auf das Schloß
Trautenfels, am Fuße
des Grimmings gele-
gen, über eine in voller
Blüte stehende Iris-
wiese

An unusual view of
Trautenfels castle at
the foot of the Grim-
ming above a field of
iris in full bloom

Une vue originale du
château de Trautenfels
au pied du Grimming
dominant un champ
d'iris en fleurs

Um den
»Eisernen Brotlaib«

Around
the Erzberg

Tout autour
du géant de métal

Von Judenburg, der Mur entlang und rund um den Erzberg, vereinen sich Kunstwerke (hier ein Fenster aus der Kirche Maria Waasen in Leoben) mit der herben Schönheit der Landschaft in reizvoller Ergänzung

From Judenburg, along the Mur and round the Erzberg works of art blend delightfully with the austere beauty of the scenery. Here, a window in Maria Waasen church at Leoben

A partir de Judenburg, le long de la Mur et tout autour du Erzberg, les trésors artistiques (ci-contre: vitrail de l'église Maria Waasen de Leoben) s'harmonisent merveilleusement avec la beauté rude du paysage

1

2

Deutlich zeigen dies die stimmungs-
volle Landschaft beim Erzberg (1),
im Kontrast zum Barock des »Hackl-
Hauses« in Leoben mit dem Berg-
mannsbrunnen davor (3) und zum
spätgotischen Kornmesser-Haus
in Bruck an der Mur (2)

Thus the mood of the scenery by the
Erzberg (1) is in complete contrast to
the Baroque of the Hackl house in
Leoben with the miner's fountain
in front (3) and to the late Gothic
''Kornmesser-Haus'' in Bruck an
der Mur (2)

Le paysage romantique du Erzberg
(1) forme un contraste frappant avec
la beauté baroque de la maison
Hackl à Leoben avec sa Fontaine
du Mineur (3) et le style gothique
flamboyant de la maison Kornmesser
à Bruck an der Mur (2)

Der Erzberg im Winter zeigt seine Form, die die Art des Abbaues geprägt hat, besonders deutlich. Schon zur Römerzeit wurde hier Erz gewonnen

In the winter the mined outline of the Erzberg is particularly pronounced. Even in Roman times ore was extracted here

L'exploitation des mines du Erzberg a donné à cette montagne sa forme caractéristique. A l'époque romaine déjà on extrayait le minerai de fer

1

2

Eigenwillige Farbspiele treiben Licht und Schatten auf dem Erzberg im Sommer (1), in einem Lärchenwald bei Eisenerz (4) und im Laintal bei Trofaiach (5). Brunnenlaube aus Vordernberg (3) und eine Eisenerzer Impression (2)

The Erzberg in summer (1), larch wood near Eisenerz (4), the Laintal near Trofaiach (5). Fountain in Vordernberg (3), impression of Eisenerz (2)

Le Erzberg en été (1), une forêt de mélèzes près d'Eisenerz (4), la vallée de la Lain près de Trofaiach (5). Fontaine de Vordernberg (3) et une impression d'Eisenerz (2)

Gotik und Barock haben entlang der Mur eindrucksvolle Spuren hinterlassen. Hier eine seltene Darstellung der Heiligen Dreifaltigkeit in der romanischen Basilika von Seckau (1), ein gotischer »Bauernpapst« aus der Spitalskirche von Obdach (2), die »Schöne Madonna« (aus 1420 – 1425) (3) in der Judenburger Stadtpfarrkirche und die Abendmahl-Darstellung aus der Kunstsammlung der Judenburger Pfarre (4)

Gothic and Baroque styles have left their impressive traces alongside the river Mur. Here, a rare carving of the Holy Trinity in the Romanesque basilica of Seckau (1), a Gothic ''peasant pope'' from the Spitalskirche in Obdach (2), the ''Beautiful Madonna'' (1420 – 1425) (3) in Judenburg parish church and the Last Supper from Judenburg parish art collection (4)

Le gothique et le baroque ont laissé des traces inoubliables le long de la Mur. En voici quelques exemples: une représentation peu courante de la Sainte Trinité dans la basilique romane de Seckau (1), un «pape paysan» gothique de la Spitalskirche à Obdach (2), la «Belle Madonne» (1420 – 1425) (3) de la Stadtpfarrkirche de Judenburg et une Cène de la collections d'objets d'art de la paroisse de Judenburg (4)

Wer würde diesen kapitalen Steinbock nur etwa 30 km nördlich von Graz, nämlich in der »Roten Wand« vermuten?

Who would expect to find this royal ibex only 30 km north of Graz in the ''Rote Wand''?

Qui soupçonnerait la présence de ce bouquetin imposant sous les parois abruptes de la ''Rote Wand'' à 30 km seulement au nord de Graz?

Dunkler Wald
und
farbiges Brauchtum

Sombre forests
and colourful traditions

Sombres forêts,
coutumes colorées

lte Bauerngehöfte wie hier in Krakauebene (1, 3)
ind unverändert in Funktion wie der traditions-
eiche Almzaun (2)

ld farmsteads like these in Krakauebene (1, 3)
re as unchanging in their function as the traditio-
al Alpine fences (2)

es vieilles fermes de la Krakauebene (1, 3) ont
onservé fidèlement leur style de même que les
lôtures traditionnelles (2)

Madonna im Strahlenglanz« aus St. Lambrecht (4),
ehen in der Alten Galerie in Graz, ist ebenso
erkenswert wie der »Drei-Königs-Zug« in der
rkirche von St. Peter am Kammersberg (3) oder
Leonardi-Kirche in Murau, ein einheitlich gestalte-
Juwel aus dem Anfang des 15. Jahrhunderts (2).
eine »Märchenlandschaft« aus der Umgebung

La «Madonne rayonnante» de St. Lambrecht (4), expo-
sée dans la Vieille Galerie de Graz, est aussi admira-
ble que le «Cortège des rois mages» de l'église parois-
siale de St. Peter am Kammersberg (3) ou l'église
St. Léonard de Murau, joyau harmonieux du début
du 15ème siècle (2). Admirons également ce paysage
de contes de fées des environs de Ranten près de

2

3

4

Buntfarbiges Brauchtum zeigt Lebensfreude. Dies gilt für den »Samson-Umzug« in Krakaudorf (1) ebenso wie für die Faschingsrenner in der Krakau (3). Hl. Isidor aus Krakauschatten (2)

Colourful traditions are an indication of light-heartedness. This applies to the ''Samson procession'' in Krakaudorf (1) and to the carnival races in Krakau (3). Saint Isidor from Krakauschatten (2)

La profusion de couleurs et la joie de vivre dominent les coutumes. Cela vaut aussi bien pour le «Cortège de Samson» à Krakaudorf (1) que pour les courses de carnaval de cette région (3). Saint Isidore de Krakauschatten (2)

Als frischer Gebirgs-
fluß schießt die Mur
noch durch die anmuti-
ge Bezirkshauptstadt
Murau, deren Rathaus
auf den Fluß hinaus-
schaut

Fresh from the moun-
tains, the Mur rushes
through Murau, the ad-
ministrative centre of
the district; the town
hall looks on to the ri-
ver

L'hôtel de ville de la
charmante préfecture
de Murau domine les
eaux tumultueuses de
la Mur qui est encore
un torrent à cet endroit

Ein Schlösserband im Rebenland

A galaxy of castles amidst the vineyards

Châteaux et vignobles

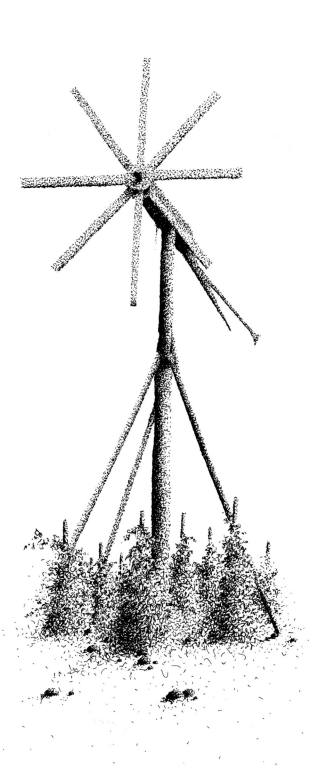

Schloß Seggau bei
Leibnitz, Besitz der
Bischöfe von Graz-
Seckau, gibt rundum
den Blick frei ins Land
der Reben

Schloss Seggau near
Leibnitz, the property
of the bishops of Graz-
Seckau, with its pano-
rama view of the
vineyards

Du château de Seggau
près de Leibnitz, pro-
priété du diocèse de
Graz-Seckau, la vue
s'étend sur les vigno-
bles

Rot glüht der Klatsch-
mohn zwischen den
Weinstöcken des süd-
steirischen Grenzlan-
des (1) und blau schim-
mert der Himmel über
dem Wildoner Feld (2).
Wie in ein Märchen-
schloß blickt man
durch die Einfahrt von
Schloß Hollenegg in
der Weststeiermark (3)

The glowing red of the
poppies amidst the vi-
nes of the south Sty-
rian border country (1)
and the shimmering
blue of the sky above
Wildoner Feld (2). The
entrance to Schloss
Hollenegg in western
Styria (3) is reminiscent
of a fairy-tale castle

Les coquelicots parsè-
ment de taches rouge
vif les vignes du sud de
la Styrie (1) et le ciel
bleu s'étend au-dessus
de la campagne autour
de Wildon (2). Le por-
che du château de Hol-
lenegg dans l'ouest de
la Styrie nous fait pé-
nétrer dans une atmo-
sphère de contes de
fées (3)

3

4

Wie Kronen auf fruchtbaren Hügeln der Weststeiermark thronen Schloß Stainz, einst Wohnsitz Erzherzog Johanns (4) und das Mausoleum der Eggenberger über Ehrenhausen (1). Römersteine auf Schloß Seggau (2) und ein Taubenschlag in Ragnitz bei Leibnitz (3) signalisieren die Spannweite des Sehenswerten in diesem Teil der Steiermark

Enthroned upon the fertile west Styrian hills are Schloss Stainz, once Archduke Johann's residence (4), and the Eggenberg mausoleum above Ehrenhausen (1). Roman remains at Schloss Seggau (2) and a dovecot in Ragnitz near Leibnitz (3) indicate the range of interesting sights in this part of Styria

Le château de Stainz, résidence de l'archiduc Jean (4) et le mausolée des Eggenberg qui domine Ehrenhausen (1) couronnent les collines fertiles de l'ouest de la Styrie. Les vestiges romains du château de Seggau (2) et un colombier de Ragnitz près de Leibnitz (3) témoignent de la variété des richesses que recèle cette partie de la Styrie

In keiner anderen Stadt oder Ortschaft der Steiermark
werden wie in Deutschlandsberg, auf italienische Ein-
flüsse zurückgehend, in liebevoller Mühe alljährlich
zu Fronleichnam kunstvolle Blumenteppiche gelegt.
Wie lange noch?

The custom of laying out artistic floral carpets, fashio-
ned with loving care, for Corpus Christi day is unique
to Deutschlandsberg and goes back to Italian influence. How much longer will this tradition be kept up?

Deutschlandsberg, marquée par les influences ita-
liennes, est la seule ville de Styrie où l'on passe de
longues heures à décorer les rues de tapis de fleurs
aux motifs compliqués à l'occasion de la Fête-Dieu.
Combien de temps encore?

68

Wie ein bewaffneter
Herrscher erhebt sich
die Burg Deutschlands-
berg über die Stadt, in
deren Umfeld die be-
kannte Schilchertraube
gedeiht

Deutschlandsberg
castle towers above
the town like an armed
ruler. This area is the
home of the well-
known Schilcher grape

Le château de Deutsch-
landsberg domine tel
un souverain armé la
ville et la campagne en-
vironnante dont les vi-
gnobles donnent le cé-
lèbre Schilcher

Rund um das »Herz der Steiermark«

Around
the "heart of Styria"

Tout autour
du «coeur» de la Styrie

Fleißige Menschen bringen täglich Früchte und Blumen auf die Bauernmärkte – hier der Kaiser-Josef-Platz – von Graz

Every day industrious folk take fruit and flowers to the Graz markets, here at Kaiser Josefs Platz

Les marchés qui ont lieu tous les jours à Graz – tel celui de la Kaiser Josef-Platz – regorgent de fruits et de fleurs

→

Die grandiose gotische Doppelwendeltreppe in der Grazer Burg, die Kaiser Friedrich III. errichten ließ

The magnificent Gothic double spiral staircase in Graz castle which was built by Emperor Friedrich III

L'escalier gothique à double révolution du château de Graz a été construit pour l'empereur Frédéric III

Ein Blick über das Stakkato der Altstadtdächer hin zum Rathaus von Graz. Im Hintergrund der Dachreiter des Landhauses. Daneben einer der vielen »Ausleger«, die der Grazer Altstadt zusätzlichen Reiz verleihen

A view across the staccato rooftops of Graz towards the Rathaus. In the background, the turret of the Landhaus. Alongside, one of the many inn signs which lend additional charm to the old part of Graz

Vue de l'hôtel de ville de Graz par-dessus le découpage des toits de la vieille ville. En arrière-plan le clocheton du Landhaus. A côté, l'une des nombreuses enseignes qui ajoutent au charme de la vieille ville

3

Vielfalt rund um das Herz des Landes: das berühmte
Zisterzienserstift Rein (3), das Lipizzanergestüt Piber bei Köflach (4), das große Österreichische Frei-
lichtmuseum in Stübing (2) oder die Stille um einen
Bauernhof südöstlich von Graz (1)

The variety that is the heart of Styria: the famous Ci-
stercian abbey of Rein (3), the Lipizzaner stud at Piber near Köflach (4), the Austrian Outdoor Museum
in Stübing (2) and the tranquillity of a farm south-
east of Graz (1)

Les environs de Graz ne manquent pas de variété: la
célèbre abbaye cistercienne de Rein (3), le haras de
lipizzans à Piber près de Köflach (4), le grand musée
de plein air de Stübing (2), une paisible ferme au
sud-est de Graz (1)

4

Giebelluckn und Stadlgitter – immer wieder liebe-
voll restaurierte, natürliche Klimaanlagen und weit-
hin sichtbare Zeichen bäuerlicher Kultur findet man
in allen Himmelsrichtungen rund um die steirische
Landeshauptstadt

Gable skylights and barn gratings – lovingly restored, these natural air conditioners, features of coun-

Les orifices géométriques pratiqués dans les murs
des granges sont des climatiseurs naturels dont le
caractère ornemental témoigne d'une culture pay-
sanne vivante. On les trouve un peu partout dans les
environs de Graz, régulièrement restaurés avec
amour

Mariatrost, am östlichen Stadtrand von Graz, 1714 – 1724 von Andrä Stengg erbaute Wallfahrtskirche, erstrahlt in neuem Glanz

Mariatrost, the pilgrimage church on the eastern outskirts of Graz, was built by Andrä Stengg in 1714 – 1724 and has been restored to new splendour

L'église de pèlerinage de Mariatrost, à l'est de Graz, construite entre 1714 et 1724 par Andrä Stengg, a retrouvé une nouvelle splendeur

←

Die Wallfahrtskirche Maria Strassengel (1344 – 1366), ein besonderes Kleinod in der Umgebung von Graz, ist ein einmaliges Denkmal der Hochgotik

The pilgrimage church of Maria Strassengel (1344 – 1366), a unique reminder of High Gothic and a particular gem in the surroundings of Graz

L'église de pèlerinage de Maria Strassengel (1344 – 1366), à quelques kilomètres de Graz, est un joyau du gothique rayonnant unique en son genre

84

Prunk alter Kirchen –
Glanz edler Dichtkunst

The splendour of old
churches – the brilliance
of sublime poetry

Splendeur
des églises –
Grandeur des poètes

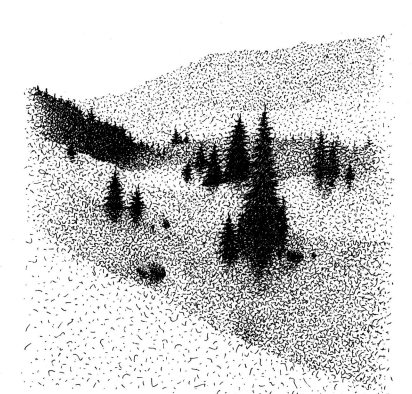

Die Basilika von Maria-
zell, in die Wallfahrer
aus aller Welt – so
1983 auch Papst Jo-
hannes Paul II. – zur
»Magna Mater Austriae«
pilgern

The basilica of Maria-
zell, that ''Magna Mater
Austriae'', attracts pil-
grims from all over the
world and was visited
by Pope John Paul II
in 1983

La basilique de Maria-
zell, «Magna Mater Au-
striae», accueille les
pèlerins du monde
entier, parmi lesquels
le pape Jean-Paul II en
1983

→

Das »Steirische Gebirg«
nennt der Volksmund
den langgestreckten
und gipfelreichen Berg-
zug des Hochschwab,
alljährlich Ziel tausen-
der Bergwanderer

Popularly known as the
''Styrian mountains'',
the elongated Hoch-
schwab mountain
chain embraces many a
peak and is the annual
destination of thou-
sands of mountaineers

La longue chaîne mon-
tagneuse du Hoch-
schwab dont les nom-
breux sommets attirent
chaque année plu-
sieurs milliers d'alpini-
stes est appelée fami-
lièrement «massif sty-
rien»

In diesem heimeligen Arbeitszimmer des großen steirischen Peter Rosegger in Krieglach
entstanden viele seiner Werke (1). Von dort ist
es nicht weit in die »Waldheimat« des berühm-
ten Dichters (2, 3)

This cosy study in Krieglach (1) belonged to
Peter Rosegger, the great Styrian writer. From
here it is not far to that famous author's
"woodland home" (2, 3)

C'est dans cette pièce accueillante de sa maison de Krieglach que l'écrivain styrien Peter
Rosegger a écrit une grande partie de ses
œuvres (1). Non loin de là, la forêt de son
enfance (2, 3)

Zu den schönsten gotischen Bauwerken des Landes zählt das Neuberger Münster (1) und dessen prachtvoll renovierter Kreuzgang (2). Die anderen Bilder zeigen Details aus der Einrichtung des Münsters, wie diese »Schöne Madonna« (4) und einen Ausschnitt aus der Predella des Hochaltars (3), den heiligen Johannes darstellend

Neuberg minster (1) with its superbly renovated cloisters (2) is one of the loveliest Gothic buildings in the province. The other photographs show details of the interior – the "Beautiful Madonna" (4) and a section of the high altar predella (3) depicting Saint John

La cathédrale de Neuberg (1) avec son cloître magnifiquement restauré (2) compte parmi les plus belles églises gothiques du pays. Les autres images montrent des détails de l'intérieur, tels cette «Belle Madonne» (4) et un détail de la prédelle du maître-autel représentant saint Jean (3)

4

Hoch ragen die Berge
von den Ufern der
Salza auf, die aus Nie-
derösterreich kom-
mend, in der Steier-
mark in die Enns mün-
det

The towering peaks
above the banks of the
Salza; coming from Lo-
wer Austria, the river
flows into the Enns in
Styria

Les montagnes sur-
plombent les rives de la
Salza qui vient de Bas-
se-Autriche et se jette
dans l'Enns en Styrie

Trutzige Burgen im Obsthain des Landes

Defiant fortresses
in the orchard of Styria

Sévères forteresses,
paysages riants

Trutzige Burgen, mächtige Klöster und prachtvolle Schlösser gibt es im Obstgarten des Landes, der Oststeiermark. Hier ein Türklopfer von Schloß Kornberg bei Feldbach

Defiant castles, mighty abbeys and splendid palaces are a feature of the eastern part of Styria, the orchard of the province. Here, a doorknocker at Schloss Kornberg near Feldbach

De sévères forteresses, des monastères imposants et de magnifiques châteaux se dressent au milieu de ce vaste verger qu'est l'est de la Styrie. Ce heurtoir orne le portail du château de Kornberg près de Feldbach

Fruchtbare Hügel prägen diesen Landschaftsteil

Fertile expanses characterize this area

Cette région vallonné est caractérisée par sa fertilité

Weit ins Land grüßt die Riegersburg, die mächtigste Burg des Landes, einst als »stärkste Feste der Christenheit« bezeichnet

Riegersburg surveys the surroundings. Once known as "Christianity's strongest fortress", this is the mightiest castle in the province

La forteresse de Riegersburg domine un vaste paysage de plaines. C'est la plus imposante de toute la Styrie. On l'appelait autrefois «la forteresse la plus puissante de la Chrétienté»

Obst und Feldfrüchte
in reichem Maße (3)
schenkt der Boden,
den die fleißigen Men-
schen (2) der Oststeier-
mark bearbeiten, auf
die hier der Blick von
Mönichkirchen aus
fällt (1)

Fruit and crops in
abundance (3), the
soil's gift to the
industrious people (2)
of eastern Styria,
a view from Mönich-
kirchen (1)

La terre prodigue géné-
reusement ses fruits et
ses produits agrico-
les (3). Le sol demande
des soins constants (2).
De Mönichkirchen la
vue s'étend sur l'est de
la Styrie (1)

2

Reich ist auch hier
die Fülle an Kunst-
schätzen: Ein Detail
aus den Deckenfres-
ken und eine wert-
volle Handschrift aus
der Bibliothek des
Stiftes Vorau (1, 2)
sowie der Teil eines
Freskos im romani-
schen Karner von
Hartberg (3)

Art treasures also a-
bound here: a detail
from the ceiling fres-
cos and a valuable
manuscript from the
library at Vorau (1, 2)
together with part
of a fresco in the Ro-
manesque charnel-
house at Hartberg (3)

Les trésors artisti-
ques abondent ici
aussi: voici un détail
des fresques du pla-
fond et un manuscrit
précieux de la biblio-
thèque du couvent
de Vorau (1, 2) ainsi
qu'un détail de fres-
que de l'ossuaire ro-
man de Hartberg (3)

3

1

2

3

Das mächtige Chorherrenstift Vorau (1), der Aufgang zur Riegersburg (3), ein Stück Bad Radkersburg (2) und die verspielte Fassade von Schloß Schielleiten (4), heute eine Bundessportschule

The mighty abbey of Vorau (1), the ascent to Riegersburg (3), a corner of Bad Radkersburg (2) and the ornate facade of Schloss Schielleiten (4), today a federal school of sport

Le couvent majestueux de Vorau (1), le chemin qui mène à la Riegersburg (3), une vue de Bad Radkersburg (2) et la façade aux décorations baroques du château de Schielleiten (4) devenu aujourd'hui une école de sport

Der Tierpark Herberstein (7), die Störche in Gleisdorf (1), das Kirchhofstor von Ranten (2), der Bauernhof bei Feldbach (5), das Wegkreuz bei Weiz (3), der Taubenschlag in Kirchberg an der Raab (4) und ein Kornblumenfeld (6): Teilchen und Teile, aus denen sich das Mosaik Oststeiermark fügt

Herberstein wildlife park (7), storks at Gleisdorf (1), Ranten churchyard gate (2), a farmhouse near Feldbach (5), a wayside crucifix at Weiz (3), the dovecot at Kirchberg an der Raab (4) and a field of cornflowers (6): parts of the mosaic that is eastern Styria

Le zoo de Herberstein (7), les cigognes de Gleisdorf (1), le portail de l'église de Ranten (2), une ferme près de Feldbach (5), une croix de chemin près de Weiz (3), un colombier à Kirchberg an der Raab (4), un champ de bleuets (6) forment une mosaïque composée des éléments les plus divers

6

7

109

Hingeduckt in die
Landschaft prangt
Schloß Herberstein
wehrhaft und ein-
adend zugleich

Embedded in the sce-
nery, Schloss Herber-
stein seems at once
forbidding and inviting

Tapi au milieu de la
forêt, le château de
Herberstein est prêt à
accueillir les visiteurs
malgré son aspect
sévère

In diesem Bild ist alles
eingefangen, was es
zur Bezeichnung der
Oststeiermark als
Obstgarten des Landes
zu sagen gibt

This photograph shows
why eastern Styria is
known as the orchard
of the province

Cette image résume
toutes les caractéristi-
ques du paysage de
l'est de la Styrie

Anhang

Die Geschichte der Steiermark in Schlagworten

100.000 – 10.000 v. Chr.	Altsteinzeitliche Einzelfunde u. a. in der Drachenhöhle bei Mixnitz und in der Badlhöhle bei Peggau.
10.000 – 1700 v. Chr.	Mittel- und jungsteinzeitliche Siedlungen finden sich im Gebiet von Graz, in der Südost-Steiermark und am Pöls-Hals.
1700 – 700 v. Chr.	Höhensiedlungen wie z. B. in Ring bei Hartberg, Riegersburg, Königsberg b. Tieschen und Kulm bei Weiz sind typisch für die Bronze- und Urnenfelderzeit.
700 – 400 v. Chr.	Hallstatt-Zeit (Eisenzeit). Der wichtigste Fund ist der weltberühmte Kultwagen von Strettweg.
400 – 15 v. Chr.	Keltische Einflüsse und Siedlungsspuren in der ganzen Steiermark sind charakteristisch für die La-Tene-Zeit. Seit dem 2. Jahrhundert ist die Steiermark Teil des Königreiches Noricum, dessen Mittelpunkt am Magdalensberg in Kärnten lag.
15 v. Chr.	Beginn der Römerzeit; Noricum wird Teil des römischen Reiches und Zivilprovinz. Die Hauptstadt ist Virunum auf dem Zollfeld.
70 n. Chr.	Stadtrechtverleihung an Flavia Solva in der Südsteiermark, reger Handelsverkehr, Norisches Eisen vom Erzberg für Italien.
166 – 180	Markomannenkrieg, erste Zerstörung von Flavia Solva.
Ende 4. – 6. Jh.	Völkerwanderung; Germanendurchzüge. Endgültige Zerstörung von Flavia Solva, Römer flüchten aus Noricum.
476	Ende des Weströmischen Reiches und danach im 6. bis 8. Jahrhundert slawische Einwanderung; Steiermark gehört zu einem Großteil zum slawischen Herzogtum Karantanien, dessen Mittelpunkt die Karnburg am Zollfeld ist.
8. Jh.	Bayrische Besiedlung; Bayern helfen den Karantaniern gegen die Awaren.
771	Karl der Große tritt die Alleinherrschaft im gesamten fränkischen Reich an.
772	Nach der Niederwerfung eines slawischen Aufstandes kommt Karantanien unter bayrische Oberhoheit.
800	Karl der Große wird am 25. Dezember in Rom von Papst Leo III. zum Kaiser gekrönt.
899	Beginn der Ungarneinfälle, Ost- und Weststeiermark gehen verloren, die Obersteiermark bleibt verschont.
955	Schlacht auf dem Lechfeld. Die Ungarngefahr ist gebannt, ein Markengürtel wird eingelegt, darunter die Mark an der mittleren Mur, die als Karantanische Mark zur Keimzelle der Steiermark wird.
1020	und später von 1042 bis 1044 erneut Abwehrkämpfe gegen die Ungarn.
1035 – 1050	werden die Herren von Wels-Lambach Markgrafen. Sie herrschen bis 1050. In diese Zeit fällt die erste Befestigung des Grazer Schloßberges.
1050	Die Otakare aus dem Traungau werden Markgrafen an der mittleren Mur.
1053	Die Hengistburg (vermutlich Wildon), das Zentrum der Mark wird von den Ungarn, die immer wieder einfallen und das Siedlungswerk in der Oststeiermark hemmen, erobert.

1122	Die Eppensteiner sterben aus und die Traungauer erben einen großen Teil ihres Besitzes, u. a. die Gebiete um Murau und Neumarkt.
1129	wird das Zisterzienserstift in Rein gegründet. Es ist das älteste noch bestehende Zisterzienserkloster der Welt. In dieser Zeit wird auch Graz ausgebaut und fungiert bald als Mittelpunkt des Landes, nachdem um 1100 Judenburg als erste Marktsiedlung des Landes bekannt war.
1147	Die Traungauer können ihre Machtbasis erweitern. Sie erhalten Besitzungen Adeliger, die im Kreuzzug fallen, so u. a. von Bernhard von Marburg. Auf diese Weise fällt ihnen die Mark an der Drau zu.
1158	Erhalten sie auch die Besitzungen der Grafen von Formbach-Pitten. Damit beherrschen sie im Osten das Gebiet bis zur Lafnitz und Piesting. Otakar III. nimmt als Hauswappen den Panther an und erwirbt verschiedene Regalien.
1160	Die Landesbildung kann als abgeschlossen betrachtet werden.
1164	Otakar III. stirbt und hinterläßt den minderjährigen Otakar IV. als Erben.
1180	Erhebung der Steiermark zum Herzogtum durch Kaiser Friedrich I. Barbarossa.
1186	die Georgenberger Handfeste bereitet die Vereinigung der Steiermark mit dem babenbergischen Herzogtum Österreich vor.
1192	Otakar IV. stirbt ohne Erben. Die Steiermark kommt in den Besitz der Babenberger, die bis 1246 herrschen.
1246	Beginn des Interregnums zwischen Babenbergern und Habsburgern, das bis 1276 dauert. Nach dem Tod des letzten Babenbergers, Herzog Friedrich des Streitbaren, wird die Steiermark zum Kampfobjekt zwischen Böhmen und Ungarn.
1254	Friede von Ofen. Steiermark fällt an Ungarn.
1259	Aufstand steirischer Adeliger. Die Ungarnherrschaft kann abgeschüttelt werden. Der Traungau und die Grafschaft Pitten bleiben aber verloren.
1260	Friede von Wien. Die Steiermark wird Přemysl Ottokar zugesprochen, der König Béla IV. von Ungarn besiegte. Dieser war 1260 in die Steiermark eingefallen.
1276	»Reiner Schwur«. Die steirischen Adeligen erheben sich gegen Ottokar und schließen sich dem 1273 zum König gewählten Rudolf von Habsburg an. Die Habsburger bleiben bis zum Ende der Monarchie im Jahre 1918 Landesfürsten der Steiermark.
1292	Niederwerfung eines Adelsaufstandes durch Herzog Albrecht I., den Sohn König Rudolfs, der sich in der Steiermark durch die Bestätigung der steirischen Freiheitsbriefe und große Milde erst langsam durchsetzen kann.
1379	Neuberger Vertrag; Kärnten, Krain, Tirol und die Vorlande mit der Steiermark sind als Erbteil der Leopoldinischen Linie der Habsburger zu einer neuen Einheit zusammengefaßt. Innerösterreich entsteht.
1411	Erbteilung, bei der Herzog Ernst der Eiserne die Steiermark, Kärnten, Krain, die Windische Mark, Triest, Istrien und Pordenone bekommt. Graz kristallisiert sich als Zentrum der innerösterreichischen Ländergruppe heraus und fungiert neben Wiener Neustadt als Residenz.
1418	Neuerlich Ungarneinfälle. Im Süden Machtzusammenballung der Grafen von Cilli, die 1436 in den Reichsfürstenstand erhoben werden.

1424	Ernst der Eiserne stirbt. Innerösterreich wird zuerst vormundlich regiert und dann seinem Sohn Friedrich V. übergeben.
1440	Friedrich V. wird als Friedrich III. deutscher König.
1452	König Friedrich III. wird letzter in Rom gekrönter Kaiser. Die Steiermark rückt in den Mittelpunkt der Weltpolitik.
1456	Graf Ulrich von Cilli, der letzte seines Geschlechtes, wird ermordet. Ein Großteil seiner Besitzung fällt Kaiser Friedrich zu, der auch mit großen Schwierigkeiten zu kämpfen hat. Auseinandersetzungen mit den niederösterreichischen Ständen im Streit um die Vormundschaft über Ladislaus Posthumus, den Sohn Albrechts VI. von Österreich. Der Kaiser stützt sich in dieser Zeit auf Andreas Baumkircher, der sich später gegen ihn auflehnt und 1471 in Graz hingerichtet wird.
1471	Die Türken brechen in das steirische Unterland ein. Dazu kommen die Feindseligkeiten zwischen dem Kaiser und dem Ungarnkönig Matthias Corvinus.
1479	öffnet Bischof Bernhard von Ror den Ungarn seine Burgen aus Wut darüber, daß der Kaiser den aus Ungarn geflohenen Erzbischof von Gran an seiner Stelle zum Erzbischof von Salzburg machen wollte. Matthias Corvinus kann so große Teile des Landes besetzen.
1480	Katastrophenjahr für die Steiermark. 30.000 Türken fallen in die Obersteiermark ein. Heuschreckenschwärme verheeren das Land und dazu kommt eine Pestepidemie. Außerdem sind noch die Ungarn bis 1490 im Land.
1493	stirbt Kaiser Friedrich III. in Linz. Sein Sohn, König Maximilian I., wird alleiniger Herrscher über alle habsburgischen Besitzungen und beginnt mit der Errichtung zentraler Verwaltungsbehörden.
1496	Die verschuldeten Stände verlangen die Vertreibung der Juden aus der Steiermark.
1515	Die katastrophale wirtschaftliche Situation der Bauern, die vor allem ihre Abgabenschulden nicht mehr zahlen können, führt zu Unruhen. Georg von Herberstein bezwingt mit seinen Söldnern die Bauern vor Cilli und in Krain, während Landeshauptmann Sigmund von Dietrichstein über ein Bauernheer bei Rann siegt. Die Anführer der Bauern werden in Graz hingerichtet. Maximilian, der sich öfter in der Steiermark aufhält, läßt hier Waffen anfertigen, in Vordernberg auf seine Kosten einen Schmelzofen errichten und in Graz eine Waffenkammer anlegen.
1519	stirbt Maximilian und ihm folgt Ferdinand I. Trotz seines Verbotes von Reformationsschriften, 1523, dringt die Reformation in die Steiermark ein.
1525	bricht aus politisch-sozialen und religiösen Gründen der große Bauernkrieg aus, der über Salzburg auch die Steiermark erreicht. Die Bauern erobern Schladming und nehmen Landeshauptmann Sigmund von Dietrichstein gefangen und wollen ihn spießen. Seine Söldner verhindern dies und bringen ihn nach Salzburg. Schladming wird zurückerobert, niedergebrannt und verliert das Stadtrecht. Die Bauernanführer werden hart bestraft.
1526	bringt Ferdinand eine neuerliche schwere Aufgabe. Sultan Süleiman II. erscheint in Ungarn und besiegt den jungen König Ludwig II. bei Mohács, wobei König Ludwig fällt. Er hinterläßt keine Erben und sein Schwager Ferdinand erhebt Anspruch auf die ungarische Krone. Eine Partei wählt ihn zum König, eine andere will den Adeligen

Johann Capolya auf dem Thron sehen. Ferdinand gelingt es, durch einen Sieg über Capolya Westungarn zu erobern.

1529   dringen zu dessen Schutz Truppen Sultan Süleimans wieder in Ungarn ein. Diesmal will er bis Wien vordringen und die Stadt erobern. Er muß ohne Erfolg abziehen. »Renner und Brenner«, wie man die Streifscharen der Türken nennt, erscheinen auch in der Steiermark.

1532   wiederholt Süleiman den Versuch, Wien zu erobern, gelangt aber nur bis Güns/Westungarn. Die Türken ziehen sich durch die Steiermark zurück und richten in Hartberg, Pischelsdorf und Gleisdorf sowie in Graz große Verheerungen an. Graz wagen sie nicht anzugreifen.

1545   wird in Anbetracht der überstandenen Gefahren Domenico del Allio beauftragt, den Grazer Schloßberg neu zu befestigen.

1547   Waffenstillstand zwischen Ferdinand I. und dem Sultan.

1555   Nach einer sprunghaften Zunahme des Protestantismus – vor allem der Adel ist der neuen Lehre aufgeschlossen und die Landeshauptleute Sigmund von Dietrichstein und Hans Ungnad sind protestantisch gesinnt – kommt es zum Augsburger Religionsfrieden.

1556   Ferdinand I. von Innerösterreich wird römischer Kaiser.

1558 – 1563   Domenico del Allio und seine Schüler erbauten das Landhaus der Stände in Graz.

1564   stirbt am 25. Juli Ferdinand I. und Innerösterreich fällt an seinen jüngeren Sohn Karl II., der zuerst als Gatte von Elisabeth von England und dann der verwitweten Maria Stuart vorgesehen ist.
Schließlich heiratet er Maria, die Tochter des Bayernherzogs Albrecht V., und errichtet die eigene Hofhaltung und Regierung in Graz.

1571   holt Maria die Jesuiten nach Graz.

1572   werden in der Religionsspezifikation, nachdem der Landtag im Februar zugestimmt hat, dem Adel und dessen Untertanen Kultus- und Gewissensfreiheit bestätigt. Die landesfürstlichen Städte und Märkte erhalten nur die Gewissensfreiheit. Eine protestantische Kirchen- und Schulorganisation wird eingerichtet.

1585   wird die Leitung der Universität als Gegengewicht zur protestantischen Stiftsschule, an der u. a. Johannes Kepler lehrte, den Jesuiten anvertraut.

1590   stirbt Erzherzog Karl II. in Graz. Sein Bruder Erzherzog Ernst wird zunächst Regent von Innerösterreich, weil Ferdinand, der älteste Sohn Karls, bei den Jesuiten in Ingolstadt studiert.

1595   kehrt Ferdinand in die Steiermark zurück.

1596   Am 12. Dezember ist für die Steiermark ein historisches Datum. Die Stände huldigen Ferdinand, ohne daß er bereit ist, auf Religionsfragen einzugehen.

1598   eskaliert der Religionskrieg. Ferdinand holt zum ersten großen Schlag gegen die Protestanten aus. Ihre Kirchen und Friedhöfe werden zerstört. Wer von den Bürgern sein Bekenntnis nicht wechselt, wird ausgewiesen. Der Adel bleibt vorläufig verschont.

1600   In der Grazer Paulustorgasse, auf dem Platz vor der Antoniuskirche, werden 10.000 protestantische Bücher verbrannt. Johannes Kepler verläßt Graz.

1605	fallen ungarische Aufständische in die Oststeiermark ein. Ein Jahr darauf Friede von Zsitvatorok.
1618	ist bereits der 30jährige Krieg ausgebrochen, von dem die Steiermark allerdings nur indirekt über hohe Steuerlasten betroffen ist.
1619	verlegt Ferdinand, als er Kaiser wird, seinen Hof von Graz nach Wien.
1620	wird das Schicksal der steirischen Protestanten bei der Schlacht am Weißen Berg bei Prag mitentschieden. Die katholische Liga siegt und jetzt bleibt auch dem Adel nur mehr die Wahl, katholisch zu werden, oder das Land zu verlassen.
1628	750 Adelige müssen ihre Güter verkaufen und verlassen Innerösterreich, dessen Sonderstellung trotz Abwanderung des Hofes nach Wien bestehen bleibt. Graz beginnt allerdings an Bedeutung zu verlieren.
1637	stirbt Kaiser Ferdinand II., dem sein Sohn Ferdinand III. folgt.
1639	beschließen die steirischen Stände den Bau eines selbständigen Zeughauses in Graz, das noch heute eine der bedeutendsten geschlossenen historischen Waffensammlungen der Welt beherbergt.
1648	Der 30jährige Krieg wird mit dem westfälischen Frieden beendet, wobei der steirische Graf Maximilian von Trauttmannsdorf (geb. 1584 auf Schloß Gleichenberg) die verwickelten Verhandlungen glücklich zu Ende führt. Gewaltige Reparationszahlungen an Schweden treffen die Steiermark besonders schwer, weil gerade drei Pestjahre über das Land hinwegfegten.
1657	stirbt Kaiser Ferdinand III. und sein Sohn Leopold I. übernimmt die Regierung. Seine bis 1705 währende Regierungszeit ist von Kämpfen gegen die Türken, Ungarn und Franzosen gekennzeichnet.
1664	besiegt General Montecuccoli die Türken bei Mogersdorf und es kommt zum Frieden von Vasvár. Die ungarischen Magnaten sind mit diesem Frieden nicht zufrieden und es bildet sich eine Verschwörung, die den Abfall vom Hause Habsburg zum Ziel hat. Auch der steirische Edelmann Erasmus von Tattenbach-Reinstein war mit den ungarischen Aufständischen in Verbindung und ließ sich 1667 dazu verleiten, an dem Bund teilzunehmen.
1671	wird Graf Tattenbach in Graz hingerichtet.
1679	bricht die orientalische Beulenpest aus, die allein in Graz ein Fünftel der Bevölkerung dahinrafft.
1683	versuchen die Türken wiederum Wien einzunehmen. Die Steiermark ist nur von zahlreichen Flüchtlingen aus dem Gebiet um Wien betroffen. Dafür fallen Kuruzzen in die Oststeiermark ein.
1703	Neuerliche Kuruzzeneinfälle bringen große Verwüstungen in der Oststeiermark. In den folgenden Jahren sucht die Pest erneut die Steiermark heim.
1711	folgt Karl VI. auf seinen Bruder Josef I. Er regiert bis 1740.
1720	wird durch die pragmatische Sanktion, die am 10. Juni von den steirischen Ständen anerkannt wird, die Unteilbarkeit der Länder durch Karl VI. festgelegt und die Erbfolge auch auf weibliche Deszendenten ausgedehnt.
1728	Die letzte Erbhuldigung in Graz, für Karl VI.

1740	Maria Theresia. Die Stände werden endgültig entmachtet. In den Erbfolgekriegen muß die Kaiserin mit König Friedrich von Preußen, der von ihr Schlesien verlangt, zwei Kriege führen und ihm zuletzt den größten Teil Schlesiens überlassen. Diese Kriege bringen schwere Lasten und das ungenügende Steuereinkommen zwingt die Kaiserin zu einschneidenden Reformen. Die Verwaltung wird reorganisiert. Finanz, politische Verwaltung und Gerichtsbarkeit werden getrennt und in Graz zunächst ein Gubernium eingerichtet. Die Stände erreichen jedoch bald wieder die Einsetzung eines eigenen Landeshauptmannes.
1756	will Maria Theresia Schlesien zurückgewinnen und es beginnt der Siebenjährige Krieg, der österreichische Einzelerfolge bringt. Schlesien bleibt aber bei Preußen. Auch dieser Krieg macht sich in der Steiermark durch Truppenbereitstellungen und höhere neue Steuern fühlbar. So hat allein das Stift Göss, wie es in der Chronik des Klosters heißt, »über 800 Erbholden in diesem Krieg zu Rekruten verloren und über 60.000 Gulden Darlehen geben müssen«.
1773	hebt Papst Klemens XIV. den Jesuitenorden auf.
1774	wird die allgemeine Schulpflicht für die Volksschule eingeführt.
1778	gibt es an der Grazer Universität neben der juridischen auch eine medizinische Fakultät.
1780	stirbt Maria Theresia am 29. November. Ihr folgt Josef II., der in seinen Reformen wesentlich radikaler ist. Gerichtsorganisation, Strafgerichtsbarkeit, Eherecht u. a. werden reformiert. Die Todesstrafe wird sehr spät, 1787, aufgehoben. Josef II. beseitigt auch die letzten Landesfreiheiten und entfernt den Landeshauptmann. Der steirische Herzoghut wird nach Wien geholt.
1781	beginnt Josef II. die Kirchenreform mit dem Toleranzpatent. Lutheranern, Calvinern und Griechisch-Orthodoxen wird die private Religionsausübung gestattet. Die Steiermark wird kirchlich in neu abgegrenzte Bistümer aufgeteilt. 32 Klöster werden aufgehoben.
1790	stirbt Josef II., dem sein Bruder Leopold II. nachfolgt. Er versucht, das Reformwerk seiner Vorfahren zu behaupten. Er vollzieht auch eine wichtige Veränderung in der politischen Verwaltung, indem er die innerösterreichischen Länder trennt und für Steiermark, Kärnten und Krain je ein Gubernium errichtet. Der Wirkungskreis des Grazer Statthalters erstreckt sich nur über die Steiermark.
1792	Am 1. März stirbt Leopold II. Sein Nachfolger wird Franz II. in einer Zeit, in der die Wirren der Französischen Revolution auch in die Steiermark eindringen.
1797	steht die französische Revolutionsarmee für einige Monate erstmals in der Steiermark.
1800	kommen wieder französische Truppen und bleiben ein Jahr.
1805	wird die gesamte Steiermark nach der Schlacht von Austerlitz von den Franzosen besetzt. Mit dem Frieden von Preßburg endet der Krieg.
1809	sind die Franzosen wieder im Land und die Auseinandersetzung Österreichs mit Frankreich endet mit einer neuerlichen Niederlage bei St. Michael. In Graz wird der Schloßberg heldenhaft von Major Hackher und seinen Mannen verteidigt. Im Frieden von Schönbrunn wird von den Franzosen die Schleifung des Grazer Schloßberges verlangt. Den Wirtschaftstreibenden und Bürgern der Stadt gelingt es, Uhrturm und Glockenturm durch Bezahlung zu retten.
1810	Die Franzosen ziehen ab und hinterlassen ein verarmtes, von Seuchen heimgesuchtes Land.

1811	Erzherzog Johann kommt wie durch eine Fügung als der große Notwender, Anreger und Erneuerer ins Land. Er schenkt bereits in diesem Jahr dem Land seine Sammlung, aus dem das Joanneum hervorgeht, dessen »Tochter« die Technische Universität von Graz wird. Er errichtet eine Leseanstalt am Joanneum, aus der die Landesbibliothek hervorgeht, gründet die Landwirtschafts-Gesellschaft, aus der später die Landwirtschaftskammer hervorgeht, die Steiermärkische Sparkasse, sorgt für die Wiedererhebung des Lyzeums zur Universität und gründet den Verein zur Unterstützung der Industrie und des Gewerbes in Innerösterreich, aus dem die Handelskammer wird. Am Erzberg sorgt er für neue Abbaumethoden und einigt die Radmeister zur ersten Radmeisterkommunität, aus der später die Alpine Montangesellschaft hervorgeht. Er sorgt für die Gründung einer Bruderlade für die Bergleute, für die Errichtung von Spitälern, fördert den Kartoffelanbau in verschiedenen Regionen der Steiermark, der mithilft, die Hungersnot zu lindern, kämpft mit Erfolg um die Führung der Südbahn über den Semmering und bringt alle auf seinen Reisen gewonnenen Eindrücke zum Wohle der steirischen Wirtschaft ein, für die er auch Exportmärkte erschließen hilft.
1848	Revolutionsjahr: Aufhebung des bäuerlichen Untertanenverhältnisses gegen Ablöse. Am 2. Dezember dieses Jahres dankt Kaiser Ferdinand I. zugunsten seines Neffen Franz Josef I. ab, der eine politische Neuordnung des Landes beginnt.
1861	Der Landtag der Steiermark wird erstmals nach dem Kurienwahlrecht gewählt.
1881	Die bedeutendsten Eisen- und Stahlwerke schließen sich zur Alpine Montangesellschaft zusammen.
1900	ist die erste Phase der Industrialisierung, die etwa um 1850 begonnen hat und in der eine Reihe von Firmen wie Reininghaus, Steyr-Daimler-Puch, Böhler, Elin, Waagner-Biró, Simmering-Graz-Pauker und die Maschinenfabrik Andritz gegründet wurden, abgeschlossen.
1906	findet die erste Grazer Messe statt.
1912	wird das Landeskrankenhaus in Graz eröffnet, eine großzügige Jugendstilanlage, die noch heute als Musterbeispiel gilt und das größte einheitliche Krankenhaus Mitteleuropas ist.
1914	beginnt nach der Ermordung des in der Grazer Sackstraße geborenen Thronfolgers Franz Ferdinand in Sarajevo der Erste Weltkrieg.
1919	hatten die Christlich Sozialen mit Dr. Rintelen die Landtagswahlen gewonnen. Dieses Jahr ist von der Wirtschaftskrise und den damit verbundenen Spannungen gekennzeichnet. In Graz kommt es zu Zusammenstößen zwischen Kommunisten und deutschnationalen Studenten, die Tote und Schwerverletzte fordern.
1920	bringt der Friede von St. Germain die endgültige Abtrennung der Untersteiermark.
1922	erzwingt Dr. Pfrimer aus Judenburg mit Hilfe seines Selbstschutzverbandes den Abbruch eines politischen Streiks der Stahlarbeiter bei Judenburg.
1923	gründet die Sozialdemokratische Partei den Republikanischen Schutzbund.
1927	Justizpalastbrand in Wien. In Graz sperrt der Schutzbund wichtige Straßen und die Heimwehr unter Pfrimer erzwingt die Demobilisierung des Schutzbundes.
1929	Blutiger Zusammenstoß zwischen Heimwehr und Schutzbund im Mürztal.
1931	Dr. Walter Pfrimer unternimmt einen Putschversuch, der allerdings schon am ersten Tag scheitert.

1933	Die Wirtschaftskrise eskaliert, die Arbeitslosenrate beträgt zwölf Prozent. Die drei Parlamentspräsidenten treten zurück und Dollfuß errichtet in dieser Situation ein autoritär-ständestaatliches System. In der Steiermark wird Karl Maria Stepan Landeshauptmann. Am 19. Juni 1933 wird nach Terrorakten die Nationalsozialistische Partei verboten und die vaterlandstreuen Kräfte in der vaterländischen Front zusammengefaßt. Der steirische Heimatschutz fusioniert sich mit der verbotenen NSDAP.
1934	Im Februar Generalstreik in Graz und den obersteirischen Industriegebieten nach einem Aufstand des Republikanischen Schutzbundes, verbunden mit blutigen Kämpfen. Das loyal gebliebene Bundesheer wirft den Aufstand nieder. Die Sozialdemokratische Partei wird aufgelöst. Ihre führenden Köpfe fliehen ins Ausland oder werden verhaftet.
25. 7. 1934	wird Dollfuß beim Putschversuch der Nationalsozialisten ermordet. In der Steiermark erbitterte Kämpfe, die mit einer Niederwerfung des Aufstandes enden. Dr. Schuschnigg wird Kanzler.
1936	werden die Heimwehren abgeschafft.
1938	erfolgt am 23. Februar die sogenannte Grazer Volkserhebung. Höhepunkt ist die Hissung einer Hakenkreuzfahne auf dem Grazer Hauptplatz durch den Bürgermeister. Wenig später, nämlich am 12. 3., überschreiten deutsche Truppen die österreichischen Grenzen und am 14. 3. verkündet Hitler in Wien den Anschluß Österreichs an das Deutsche Reich.
1939	bricht am 1. September der Zweite Weltkrieg aus.
1945	wird die Steiermark nach Kriegsende zunächst von den Russen und Engländern besetzt, wobei nach dem Zonenvertrag vom 24. Juli die britischen Truppen die gesamte Steiermark besetzt halten. Sofort beginnt der beispiellose Wiederaufbau.
1948	werden die Grenzen des Bundeslandes von März 1938 wieder hergestellt. Josef Krainer sen. als Exponent der Österreichischen Volkspartei, die seit 1945 die stärkste politische Kraft in der Steiermark ist, wird Landeshauptmann.
1955	Österreich ist frei. Der Staatsvertrag wird unterschrieben und der letzte Besatzungssoldat verläßt das Land.
1956	bringt der zusammengebrochene Volksaufstand in Ungarn Zehntausende Flüchtlinge in die Steiermark.
1958	Forum Stadtpark wird gegründet.
1959	Erzherzog-Johann-Jahr aus Anlaß seines hundertsten Todestages mobilisiert das ganze Land.
1960	wird mit Jugoslawien das Abkommen über den kleinen Grenzverkehr abgeschlossen.
1964	Das Grazer Schauspielhaus kann wiedereröffnet werden.
1968	Der erste Steirische Herbst als einziges umfassendes Avantgardfestival Europas findet statt.
1970	Freilichtmuseum in Stübing eröffnet.
1971	Der Autobahnausbau in der Steiermark geht gut voran, wobei schon 1969 das Teilstück Graz-Gleisdorf eröffnet worden ist und bis 1973 der Weiterausbau bis Mooskirchen vollendet wird. Im November 1971 stirbt auf der Jagd der Landeshauptmann Josef Krainer und Dr. Friedrich Niederl wird sein Nachfolger.
1978	Der Gleinalmtunnel wird errichtet.

1980	Das Grazer Congreßzentrum in den alten Räumen der Steiermärkischen Sparkasse wird eröffnet. Dr. Josef Krainer wird Landeshauptmann der Steiermark.
1981	nimmt das neue ORF-Studio Steiermark in Graz-St. Peter seinen Betrieb auf.
1982	Die große Landesausstellung »Erzherzog Johann von Österreich« in Stainz mobilisiert das ganze Land und kann 230.000 Besucher begrüßen. Das Land bekommt die Auswirkungen der neuerlichen Weltwirtschaftskrise, vor allem in den Industriezentren, zu spüren. Südautobahnteilstück über die Pack ist fertiggestellt.
1982	Alpine Schiweltmeisterschaft in Schladming.
1983	Bei der Nationalratswahl kommt es nach 13 Jahren SPÖ-Alleinregierung nach Verlust der absoluten Mehrheit zu einer Koalition SPÖ – FPÖ. Eine unheimliche Seuche dezimiert das Lipizzanergestüt in Piber. Die anhaltende Wirtschaftskrise trifft die Betriebe im ganzen Land. Im September besucht Papst Johannes Paul II. Österreich und kommt am 13. 9. nach Mariazell.
1984	Generalsanierung und Umbau der Grazer Oper.

Arbeitsunterlagen:
»Steirischer Geschichtskalender« von Hanns Koren, Walter Brunner und Gerald Gänser, herausgegeben von Gerhard Pferschy, Styria-Verlag, »Das große Steiermark-Buch« von Walter Zitzenbacher im Ueberreuter-Verlag, Hermes Handlexikon »Daten der Geschichte«, Johannes Koren »Graz 1978«.

Bei dieser Skizze von der Steiermark sind besonders die im Bildteil abgebildeten Orte u[n]
Gegenden berücksichtigt.

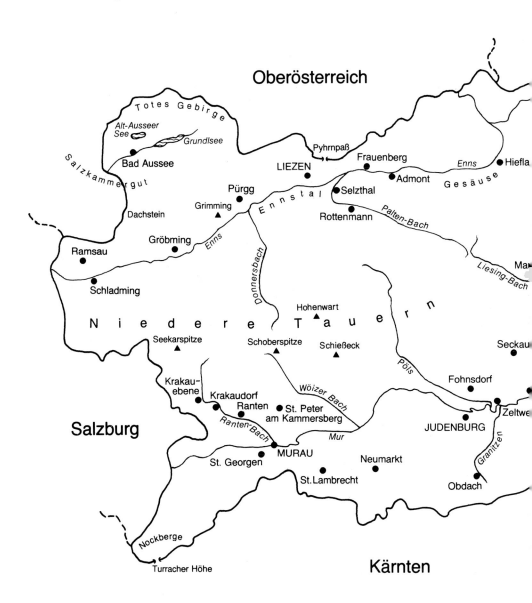

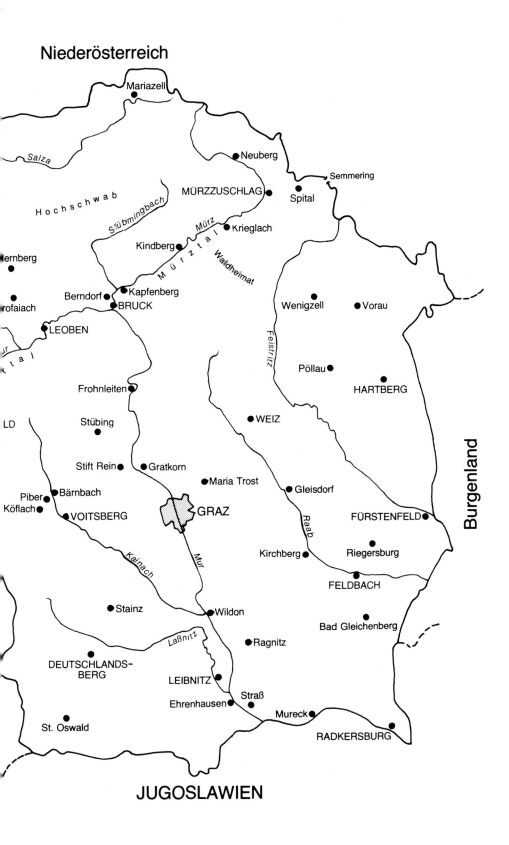

Niederösterreich

Mariazell

Salza

Neuberg

Hochschwab

Stübmingbach

Semmering

MÜRZZUSCHLAG

Spital

Mürz

Krieglach

Kindberg

Mürztal

Waldheimat

ernberg

Berndorf

Kapfenberg

rofaiach

BRUCK

Wenigzell

Vorau

LEOBEN

ur

Feistritz

rtal

Frohnleiten

Pöllau

HARTBERG

LD

Stübing

WEIZ

Stift Rein

Gratkorn

Maria Trost

Piber

Bärnbach

Gleisdorf

Köflach

VOITSBERG

GRAZ

FÜRSTENFELD

Burgenland

Kalnach

Mur

Kirchberg

Riegersburg

Raab

Stainz

Wildon

FELDBACH

Laßnitz

Ragnitz

Bad Gleichenberg

DEUTSCHLANDS-
BERG

LEIBNITZ

Straß

Ehrenhausen

Mureck

St. Oswald

RADKERSBURG

JUGOSLAWIEN

Orts- und Sachwortregister
zu den Abbildungen

Fotografen und Bildstellen

A. M. Begsteiger 30/31, 35 (3), 36 (1, 3), 44 (1), 46 (1), 53, 56, 66 (1), 73, 84, 100/101, 102/103 (2, 3), 105 (3), 107, 108 (1, 3), 110/111. Albert Ecker 47 (5). Hofstetter-Dia 40. Eduardo Cebrián-López 35 (4). Reinhard Petek 74/75. Erik Pflanzer 44 (2), 45, 46 (2, 3), 87, 94, 102 (1). Hella Pflanzer 34 (1), 37 (5), 47 (4), 54, 58 (1), 76. Herbert Pirker 32, 33, 38/39. Foto Remling 29, 90, 91. Kurt Roth 34 (2), 36 (2, 4), 43, 44 (3), 48, 49, 55, 57 (2, 3, 4), 58/59 (2, 3), 60, 63, 64/65, 66/67 (2, 3, 4), 68, 69, 70, 77, 78, 79, 80, 81, 82/83, 92, 93, 97, 98/99, 104/105 (1, 2), 106, 108 (2), 109, 112. Helmut Scheucher 50, 88/89.